ATEŞ KARINLI*

J. C. MICHAELS, 1961'de Denver Colorado'da, Güney İtalya'dan göç etmiş bir ailenin Amerika'da doğan ikinci kuşak çocuğu olarak dünyaya gelmiştir. Katolik geleneğine göre yetiştirilen Michaels, 'anlam', 'amaç' ve 'bilgi'yi daha derin bir biçimde kavramak için büyük bir çaba göstermiş, felsefeye büyük bir ilgi duymuş ve yazıyı, büyük fikirleri estetik bir biçimde ifade etmek amacıyla kullanmıştır. İlk romanı *Ateş Karınlı* birçok dilde yayınlanmıştır. J. C. Michaels halen Boston Massachusetts'te yaşamaktadır.

* **SEL** YAYINCILIK / ROMAN

*SEL YAYINCILIK
Piyerloti Caddesi, 11 / 3 Çemberlitaş - İstanbul
Tel.: (212) 516 96 85   Faks: (212) 516 97 26

http://www.selyayincilik.com
E-mail: posta@selyayincilik.com

ISBN 978-975-570-352-7

*SEL YAYINCILIK: 342

ATEŞ KARINLI

düşüncenin kalbine bir yolculuk

J. C. Michaels

Türkçesi: Didar Zeynep Batumlu

Kitabın Özgün Adı
Firebelly

© Anatolialit Ajans aracılığıyla, 2008

Birinci Baskı: Mart, 2008

Baskı ve Cilt: Yaylacık Matbaası
Litros Yolu, Fatih Sanayi Sitesi, 12/197-203 Topkapı-İstanbul, 567 80 03

J. C. Michaels

ATEŞ KARINLI

düşüncenin kalbine bir yolculuk

Türkçesi: Didar Zeynep Batumlu

Roman

*Julia'ya
yaşamının her on yıllık döneminde,
bu hikaye ile anlayışı değişecek olan küçük kıza*

İÇİNDEKİLER

Çocuklar için ilk kitap 9

Ergenler için ilk kitap 15

Yetişkinler için ilk kitap 20

1. Bölüm 24

2. Bölüm 82

3. Bölüm 112

Sonsöz 180

Not 182

İlerleyen sayfalarda, tıpkı soğuk bir sabah, çalıştırmadan önce motora su koymak ya da parlak bir renge boyamadan önce, duvarı düz beyaza boyamak gibi, sizi okumaya alıştıracak olan üç kısa okuma kitabı bulunmaktadır. Karakterleri, konuyu ya da mekanı tarif eden bir arka plan yerine, gündelik yaşamınızı, felsefenin dramı ve heyecanıyla birleştirecek olan düşüncelerin temelini sunmak isterim size. Bu hikayeler, sizi, farklı biçimde düşünmenizi sağlayacak ve varoluşçuluk diye bilinen, yaşama benzersiz bakış açısını keşfetmeniz için hazırlayacak.

Bilinen "güneşin etrafında dönen dünya" ya da "kaç yaşında hissediyorum" yöntemlerini kullanarak yaşınızı hesaplayın ve sonra size en uygun olan kitabı okuyun. İsterseniz birden fazla kitap okuyabilirsiniz; tercih sizin.

Çocuklar için ilk kitap

Beşinci sınıftayken zamanımın çoğu, yaramazlık yapmak için değişik yollar icat etmekle geçiyordu. Gizlice sınıftan sıvışmadığım zamanlarda, muhtemelen öğretmenin sandalyesine tebeşir koymak ya da tükenmez kalemden üfürük tabancası yapmak gibi başka bir muzurluk peşinde oluyordum. Sınıf arkadaşlarım eğlenceli olduğumu düşünüyorlar ve beni daha da ileri gitmek konusunda cesaretlendiriyorlardı. Oysa öğretmenlerim bir baş belası olduğumu düşünüyorlar ve daha çok, koridor, müdürün odası ya da ev gibi sınıfın dışındaki yerlerde vakit geçirmemi istiyorlardı.

Sınıfta sessiz sakin ve dersi dinliyor gibi göründüğüm zamanlarda bile, dikkatim genellikle olan bitenden çok uzaktaydı. O an işlenen bir konuyla ilgili ya da "Az önce ne söylediğimi biliyor musun?" gibi daha genel bir soruya cevap vermem istendiğinde, genellikle sorunun tekrar edilmesine ihtiyaç duyardım. Nasıl en iyi şekilde cevap vereceğimi düşünüp taşınırken, soruyu dikkatle değerlendiriyormuş gibi yapardım. Bir süre kem küm ettikten ve kalem kağıtla oyalandıktan sonra da omuz silkerek "Tabii ki biliyorum ne söylediğinizi" gibi bir esprili cevap verirdim.

Her ne kadar öğretmen beni, dinlememek, dikkatimi vermemek ya da sınıfta olan bitenle ilgilenmemekle suçlasa da aslında durum pek de öyle değildi. Öğretmenin hayal aleminde yaşamak diye nitelendirdiği şeyi, ben düşünmek diye nitelendiriyordum. Dışarıdan bakıldığında kendinden geçmiş ve ilgisiz gibi görünebilirdim, fakat hayallerimin ve sınırsız olasılıkların dünyasında, bir düşünceler denizi girdap gibi dönüp duruyordu.

Öğretmen farkında olmasa da çoğu zaman, o neden oluyordu dalıp gitmeme. Son derece büyük bir dikkatle gözden geçiriyordum söylediği kelimeleri, sanki karanlık bir odada, titrek bir fener ışığında, ellerimin ve dizlerimin üzerindeymişim ve gizli bir hazine arıyormuşum gibi. Tıpkı kendisini yutmaya can atan bir nehre karışan bir şelale gibi, öğretmenin sorduğu her soruya karşılık, on fikir daha akıyordu zihnime. Öğretmenin neden o soruyu sorduğunu, kaç değişik çözüm olabileceğini, cevabın, bundan yüz yıl önce yaşayan ya da yüz yıl sonra yaşayacak olan bir öğrencinin vereceği cevapla aynı olup olmayacağını... Peki ya dünyanın başka bir yerinde yaşayan biriyle? Caddelerin, binaların, makinelerin olmadığı bir adada, daha önce 'sınıf' kelimesini bile duymamış olan biri, o soruya aynı şekilde mi cevap verirdi acaba?

Sorunun içinde tamamen kaybolduğumda, dikkatimi çekebilmek için yanı başımda duran öğretmenin sesini duyamaz hale gelirdim. Birbiriyle bağdaşmayan ve çelişen düşünceler yüzünden beynim zonklamaya başladığında ise sürekli derinleşmekte olan zihinsel bataklığımdan kurtulmak için zorlardım kendimi.

Ara sıra düşüncelerimi bir öğretmenle paylaşırdım; özellikle beni henüz 'sorun' olarak yaftalamamış, yeni bir öğretmenle. Nazikçe, çok önemli bir sorum olduğunu söylerdim. Doğru ses tonunu kullandığım zaman, dikkatini çekmeyi başarırdım. Ne şekilde düşündüğünü anlamak için "Öğrendiğim şeyler içinde her zaman doğru kalacak ne var?" gibi bir soru sorardım. Gelen ilk tepki, gözlerin devrilmesi, kızgın bir kaş çatma ve baştan savan bir cevap şeklinde olurdu. Bu soruya neredeyse her zaman aynı cevabı almış olmak çok düşündürücü: "Her şey."

Basit bir sorunun nasıl ciddi bir probleme yol açtığını öğrendiğim ilk günü çok net bir şekilde hatırlıyorum. Vişne çürüğü, kızıl, lâl rengi, çivit mavisi gibi bazı renklerin eş anlamlılarını öğreniyorduk. Bu renkleri defterlerimize yazmamız ve cümle içinde kullanmamız gerekiyordu. Bu iş bana çok tek düze ve sıkıcı geliyordu. Dikkatim dağılıp gitti ve bir süre sonra yazım, karalamaya dönüştü. Kalemimin her maceracı darbesinde, ormanlar ve göllerden, kurbağalar ve yılanlardan, basit dairesel çizgilerden ve abartılı geometrik şekillerden oluşan bir dünya yaratmaya başladım. Çizdiğim her şekil tanımlanabiliyordu, fakat nesnelerin renkleri farklı, tarif edilemez ve daha önce hiç kimsenin görmediği gibiydi.

Sıramda arkama yaslandım, kağıda baktım ve bu renkleri bir başkasına nasıl açıklayabileceğimi düşündüm. Önce bildiğim renkleri kullanabileceğimi düşündüm. Mavimsi ya da içinde sarı zerreleri olan pembemsi gibi şeyler söyleyebilirdim. Fakat renkler çok sıra dışı, daha önce gördüklerimden çok farklı olduğunda, bu yöntem işe yaramazdı. Sadece daha önce görmüş olduğum bir şeyi mi tarif edebilirdim? Örneğin sarıyı, sadece mavinin eş anlamlılarıyla mı tarif edebilirdim?

Kafamı kaldırdım.

Öğretmen bana baktı ve sonra başını çevirdi.

Kolumu ona doğru uzattım ve açık olan avucumla havayı ittirdim. Öğretmen beni görmezlikten geldi.

Elimi daha da havaya kaldırıp, rüzgarda savrulan bir bayrak gibi ileri geri sallamaya başladım. Öğretmen tahtaya yazı yazmaya devam etti.

Sandalyemin en ucuna kadar ilerlemiştim, neredeyse düşecektim. Sınıftakiler dönüp beni seyretmeye ve soytarılıklarıma gülmeye başladılar. Öğretmen daha fazla devam edemezdi "seni görmüyorum" tutumuna.

"Evet" dedi, ilgisiz bir ifadeyle bana dönerek.

Sıramın yanında ayağa kalktım ve bir dakikalığına sessiz kaldım. Öğretmenin sorumun önemli olduğunu fark etmesini istiyordum. Derin bir nefes aldım. Her zamankinden daha ciddi bir ses tonuyla sordum, "Daha önce kimsenin görmediği bir rengi nasıl tarif edebilirim?"

Tereddüt ederek nefes aldı ve tavana baktı. "Ne demek istiyorsun?" diye sordu.

"Ya daha önce mavi ve yeşil dışında hiçbir şey görmemişsem? Ve sonra bir gün kırmızı bir şey gördüysem... kırmızı bir kurbağa gibi. Ne derim? Nasıl tarif ederim gördüğüm şeyi?"

Öğretmen kollarını kavuşturdu ve bana sert sert baktı. Bir an durakladı, nefes verdi ve şöyle dedi, "Yerine otur ve sessiz ol."

Sanki biraz sonra savaşmaya başlayacakmışız gibi gözlerimiz birbirine kitlendi. Ben bir cevap istiyordum, o ise beni görmezden gelmek. Öylece ayakta duruyor, adeta bakışlarımla gözlerini delerek, başının arka kısmına bakıyor ve bir cevap, bir açıklama bekliyordum. Öğretmen parmağıyla sıramı işaret etti. "Yerine otur ve sessiz ol'un bir renk olduğunu bilmiyordum" dedim.

Sınıf çıldırmışçasına gülmeye başladı. Bazıları masalara yumruk atıyor ve ayaklarını yere vuruyordu. Öğretmen bana öfkeli gözlerle baktı ve parmağıyla kapıyı işaret etti. Hızla sınıftan çıkıp koridora yürüdüm.

Soğuk mermer zeminli koridora gönderildiğim zaman, genellikle karnımın üzerinde sürünür ve savaştan kaçan bir askermişim gibi yapardım. Ama bu sefer bağdaş kurup oturdum, yüzümü ellerimle örttüm. Kendimi mavi ve yeşil dışında hiçbir rengin olmadığı bir dünyada yaşarken hayal ettim. Güneş, gökyüzü, binalar insan yapımı ya da doğal olan bütün nesneler; yalnızca mavinin ve yeşilin tonları.

Sonra bir gün, çekici ve yanar döner bir pırıltı beni ormana doğru çeker. Dümdüz, yaprakların serpildiği toprağın üzerinde gölgeleri yükselen, dev ağaçların arasında yürürüm. Küçük bir açık alana ulaşana kadar yürümeye devam ederim. Yüzeyinde sadece yeşil bir nilüfer yaprağı yüzen, dingin, mavi küçük bir göl var orada. Bu yaprağın üzerinde, daha önce hiç hayal etmediğim bir renk var; parıldayan ve ışıltılar saçan bir kurbağa şekline bürünmüş bir kırmızılık. Gözlerinin ışıltısını görebilecek mesafeye gelene kadar yakınlaşırım. Geçmek bilmeyen bir dakika boyunca durur, hayvanı, şeklini ve tüm özellikleri hafızama kazınana kadar inceler ve seyrederim. Şu ana kadar görmüş olduğum herşeyden farklı renkteki bu olağanüstü görüntüyü unutmak istemem. Kırmızılığa dokunabilmek için uzanırım, fakat o zıplar ve sessizce suyun içine kayar.

Ormandan ayrılır ve aşina olduğum dünyaya dönerim. Gördüğümü hatırlayabilirim, fakat anlatamam. Gözlerimi kapatır ve ormanın toprağını, sığ, mavimsi gölü, yeşilimsi nilüfer yaprağını, cesur, kımıldamayan, ışıltılı, gökyüzüne doğru parıldayan olağanüstü kurbağayı düşünürüm, fakat gördüklerimi tam olarak anlatabilecek uygun kelimeleri bulamam. Eğer ortak bir dil olmasa, benim gibi ormanda gezinip, benim gördüklerimi gören biri olmasa, yalnız kalırım. Bana küçük gölü sorsalar, sadece sessiz kalarak cevap verebilirim.

Henüz pek fazla büyümemiştim ki kırmızı kurbağayla ilgili sorumun saçma ya da gereksiz olmadığını fark eden birini keşfettim. Yaşamın sırlarıyla ilgili bir soru değildi bu, sınırları aşan bir şey ya da duygusal bir deneyimin ifadesi de değildi. Nasıl *bildiğimiz* ve bilgilerimizi başkalarıyla nasıl paylaştığımızla ilgili bir şeydi.

Ludwig Wittgenstein, dilimizin sınırlarının, aynı zamanda bilebileceklerimizin ve başkalarıyla paylaşabileceklerimizin sınırı olduğunu ileri sürdüğü çok ince bir kitap yazmıştı. Eğer bir deneyimi tarif edebilecek kelimelere sahip değilsek, o deneyim kaybolur ve bir başkası tarafından ulaşılmaz olur. Sadece benim gördüğüm ya da tecrübe ettiğim bir kırmızılıktan bahsediyorsam, söylediklerim anlamsızdır; hiç kimse tam olarak anlayamaz. Wittgenstein, şu anda bile tuhaf gelecek bir biçimde, düşünceyi tanımlayacak dilbilimsel analizleri kullanarak, felsefede her probleme nihai bir çözüm bulduğunu ileri sürmüştür.

Her zaman yerinize oturup sessiz olamıyorsunuz işte.

Ergenler için ilk kitap

Ergenlik dönemimde, uyumak yaşamın en heyecan verici parçası haline gelmişti. Bu, gerçek dünyadan kaçma değil, bilincimin ve deneyimlerimin ötesine geçen bir hayal dünyasını kucaklama girişimiydi. Rüya gördüğüm sırada, çoğu zaman, o anda yatakta yattığımın ve uyuduğumun farkında olurdum. İmgeler ne kadar gerçek görünürse görünsün ya da eyleme ve oyuna ne kadar dahil olursam olayım, bilirdim ki her an uyanabilirdim ve yaşadıklarım kaybolup giderdi.

Tıpkı sahnede sergilenen bir oyunu izleyen bir seyirciymişim gibi, kendimi rüya görürken izlemek büyüleyici olsa da asıl macera, rüyalarımı bilinçli olarak kontrol etmenin bir yolunu bulduğum zaman başlıyordu. İlk kez bu yeteneğimin farkına varmaya başladığımda, heyecan ve beklenti seli uyandırırdı beni çoğu zaman. Yine de sakin kalabildiğim ve bu durumu sıradan, gündelik bir olay olarak ele alabildiğimde, yavaşça, tıpkı gerçek dünyaymış gibi yaşayabildiğim bir rüya alemine doğru süzülürdüm.

Rüyadaki bedenim koklayabiliyor, hissedebiliyor, tat alabiliyor, dinleyebiliyor ve görebiliyordu. Enfes bir elmadan bir ısırık alabiliyor ve ağzımın kenarlarından akan suları hissedebiliyor, uzak diyarlara yolculuk edebiliyor, bir deveyle rüzgarlı kum tepelerini boydan boya geçebiliyor, bulutsuz bir gökyüzünde süzülüp, aşağıda, ayaklarımın altında serili olan dünyayı seyredebiliyordum. İstediğim her yere, istediğim şekilde gidebiliyordum. Nesnelerin ötesini görebiliyor, kendimi acıya dayanıklı hale getirebiliyordum. Neredeyse istediğim her şeyi yapabiliyordum. Rüyadaki zihnim, uyanıkken olduğum bütün bilgilere sahipti. Bu bilgileri bir problemi çözmek ya da bir çözüm yolu keşfetmek için kullanabiliyordum. Rüyalarımdan birinde bir hazine sandığı bulmayı başarmıştım. Sandık çok ağırdı ve bir gölün çok derinlerinde gömülü durumdaydı. Fizik bilgimi kullanarak sandığı suyun yüzeyine kaldırabilecek farklı yollar bulmaya çalıştım. Şişirilmiş balonlarla dalışlar yapmayı düşündüm. Yeteri kadar balonu sandığa bağlarsam, sandığın yüzmeye başlayacağı sonucuna vardım. Planım işe yaradı. Sandık yüzeye çıktıktan sonra onu sürükleyerek kumsala getirdim. İçinde muhteşem ganimetler; altınlar, mücevherler ve paralar olduğunu gördüm.

Hazineyi ele geçirmek yeterli değildi. Daha fazlasını istiyordum. Hazineyi gerçek dünyaya getirmek istiyordum. Başarabileceğimden son derece emin bir şekilde, iki avucumu da paralarla doldurup, geçitten geçmeye hazırlandım. Biri bir sandığa uzanmış ve altın paraları tutan, diğeriyse, gözleri kapalı sırt üstü yatağında yatan; her ikisi de aynı zihin tarafından yönetilen, o iki bedenin birbiriyle kaynaştığı andaki o hissi çok net bir şekilde hatırlıyorum. Bir anlığına, iki dünya arasındaki sınır belirsizleştiği için, başardığıma, hazineyi getirebildiğime inandım. Fakat daha yakından bakıldığında, zihnin nasıl da kolay kandırılabildiği görülüyordu; kollarım vücuduma paraleldi, ellerimse bir şeyi kavramış gibi sıkıca kapalıydı, fakat aslında bomboştu.

Rüyalarım benim sahnemdi ve bütün oyunların yönetmeni bendim. Kendi istediklerimi yapmaktan çok daha fazlasını yapabiliyordum; başkalarına da istediğimi yaptırabiliyordum. Yolculukta bana eşlik etmesi için bir arkadaş peyda edebiliyor öldürebileceğim bir canavar yaratabiliyor, bir krala dönüşebilmek için zamanda geriye doğru yolculuk edebiliyor ya da ileriye gidip başka bir gezegende yaşayabiliyordum. Tüm bunlar gündelik yaşamdaki kadar gerçek ve canlı bir şekilde gerçekleşiyordu. Eğer düşünebiliyorsam, yapabilirdim de. İşte bu noktada başlıyordu mutlak gücüm.

Böylesine muhteşem bir gücün bir tehlikesi de olabiliyordu, her ne kadar herşey rüyadan ibaret olsa da. Bir keresinde, çok hareketli ve yorucu bir günün sonunda, yatağıma yatmış ve yeni bir icat fikriyle ilgili, çok net bir şekilde rüya görmeye başlamıştım. Uyandığım zaman günlüğüme projenin kaba bir taslağını çizdim. Kahvaltı için aşağıya indim ve babama günlüğe yazdıklarımdan, beynimin yaratıcı bölümlerine ulaşabilmek için rüyaları nasıl kullanabildiğimden bahsettim.

İcattan bahsettiğim zaman, babam çok rahatsız oldu. Tuhaf bir üslupla konuşmaya başladı. "Düşünmek çok dert açabilir insanın başına" dedi. "Rüya günlüğünü at gitsin."

Karşı çıktım. Aylar süren çalışmalarımdan vazgeçemezdim. Babam kolunu savurarak masadaki yiyecekleri ve tabakları yere indirdi. Öylece kalakaldım, donmuş ve şok olmuş bir biçimde, sadece babamın verdiği tepkiye değil, yiyeceklerin yere aynen masadaki düzeniyle inmiş olmasına da. Ben olanları anlamaya çalışırken, uykunun perdesi kalkmaya başladı. Şaşkına dönmüştüm. Derin derin ve hızlı bir biçimde solumaya başladım. Kalbim güm güm atıyordu. Alnımdan boncuk boncuk terler akıyordu. Rüyamda rüya gördüğümü anlıyordum.

Bu olaydan sonra, tam olarak en son ne zaman rüyadan gerçek dünyaya uyandığımdan hiçbir zaman emin olamamıştım. Gerçekliği rüyayla karıştırmaktan, aptalca ya da utanç verici, hatta belki de canice bir şey yapmaktan korkuyordum. Söylediklerim ve yaptıklarım konusunda çok daha tedbirliydim artık. Rüyamın nerede bitip gerçeğin nerede başladığından emin olamıyorsam, neden emin olabilirdim ki?

Bu sorunla başı fena halde dertte olan tek insan ben değildim. Descartes'in yapıtını okumaya başladığım zaman, gerçekliğe dair benzer şüpheleri olan biri daha olduğunu keşfettim. Descartes, gerçekle ilgili bilebileceğimiz her şeyin duyu adı verilen dış kapı bekçilerinden gelmesi gerektiğini öne sürmüştü. Ancak, tıpkı uykuda olduğu gibi, duyular yanıltılabilir ve aldatılabilirdi. Zihnimize ulaşan deneyimler, tamamen tesadüfî illüzyonlardan ibaret olabilirdi. Şöminenin kenarında oturup kitap okuduğumuzu düşünsek de aslında yatağımızda uyuyor olabilirdik.

Algılarımız yanlış ve kandırılmış olabileceğinden, mutlaklığın ve gerçek bilginin, duyularımızı yok sayıp, düşünme ve akıl yürütmeye dayanarak elde edilebileceğini ileri sürmüştür Descartes. Duyularımızı kullanmadan hangi doğrudan emin olabiliriz, sadece düşünerek hangi doğruyu bilebiliriz ki? İki şeyi: matematiksel doğruyu ve Tanrı'nın varlığını. (Beni alıp o kadar uzaklara götürüyor ki bu iki düşünce, hikayenin hiç başlamayacağından korkuyorum.)

Bizden duyularımızı ve algılarımızı sorgulamamızı isteyen filozof değildir yalnızca. Sanatçı da suç ortağı bu girişimde. Monet örneğin, aynı nesnenin, günün farklı saatlerinde ve yılın farklı mevsimlerinde, düzinelerce resmini yapmıştır. Işığın etkisinin, nesnenin fiziksel görünüşünü nasıl da tamamen değiştirebildiğini göstermek istemiştir. Bir kuru ot yığınının, bir sonbahar sabahındaki rengi, güneşli bir yaz gününde ve fırtınadan önceki kararmış gökyüzünün altında çok farklı görünmektedir. Temelde, duyularımızla fark ettiğimiz nesne aynı kalmaktadır; sadece ışık ve gölgenin farklılaşmasıyla algılarımız değişmektedir.

Filozof ve sanatçı ya haklıysa, ya güvenemeyeceksek duyu organlarımıza? Ya asıl önemli olan fiziksel ve ölçülebilir dünya değil de zihnin içsel ve sübjektif dünyasıysa? Bu düşünce, bu olasılık, gözden kaçmış bir büyük uçurum yaratabilir. Tablo gereğinden fazla gerçek göründüğünde, sadece saf düşünceye değer verdiğimizde ve rüyalar hayatın kendisinden daha heyecan verici bir hal aldığı zaman bizi başkalarından ayıran bir sınırda dururuz; istediğimiz gerçekliği yaratmaya başlarız.

Kendi kendimize yarattığımız dünyanın bir başkasına ait olamayacağını fark etmeyebiliriz. Bir düşünce uçurumuna ne kadar yakın olduğumuzu bilemeyebiliriz. Eğer kayıp düşersek, geri dönmenin zor, hatta imkansız olduğunu kavrayamayabiliriz. Dibe vurana kadar, düşmeye ilk ne zaman başladığımızı bile bilemeyebiliriz, fark ettiğimizde ise her şey için çok geçtir.

Kim anlayabilir böyle bir sorunu, böyle bir çılgınlığı? Kim yardım edebilir bize? Lütfen psikiyatr demeyin, daha geniş bakın ve bir şair bulun bana.

Gabriel Gale, şair ve dedektif G.K. Chesterton'un yapıtında hayat bulmuştur. Gale'in, başkalarının düşüncelerini, bir karakteri, en ufak bir değerlendirme hatasının, bir felakete neden olduğu bir uçurumun kenarına kadar takip edebilme yeteneği vardı. Bu genç, gerçek dünyanın sadece düşündüğü ve algıladığı dünya olduğuna inanmanın eşiğindedir. Gale, kendisi de buna inanmaya çok yakın olduğundan, bu durumun ne kadar dayanılmaz ve ne kadar tehlikeli olabileceğinin farkındadır. Gale, tam da delikanlının gerçek dünyayı kontrol edebileceğine inanmaya başladığı esnada, delikanlının tamamen içe dönmüş, solipsist dünyasına dalmışlığını tam tersine döndürmek için, basit fakat çok etkili bir çözüm bulur.

Gale'in bulduğu çözüm, hemen hemen bütün toplumların kanunlarınca sıra dışı kabul edilecek ve ceza görecek bir suçtur. Bizi doğru zamanda yeniden koşullara uygun hale getiren basit ve önemsiz olayların pek çok başka örneği vardır. Ne kadar basit? Ne kadar önemsiz? Üzerimize kol kanat gerip, bizi kendi düşüncelerimizden koruması için gerçekten bir şaire mi ihtiyacımız var? Bazen de hayatlarımız, bir kurbağa kadar kendi halinde ve âlâkasız bir şeyle alt üst olur.

Yetişkinler için ilk kitap

Annem ve babam ayrılmışlardı. Kolejden mezun olduktan sonra, rahat ve sıcak bir ortamda dinlenebilmek için, beni sık sık babamın evine götüren, seyyar bir yaşam tarzı edinmiştim. Bir yaz sabahı oturma odasının geniş penceresinden dışarıyı seyrederken, genç, tıknaz bir seyyar satıcının eve doğru geldiğini fark ettim. Adamın eğri kravatı, sarkan gömleği ve kırışık kıyafetleri daha çok bir serseriyi çağrıştırmasa, profesyonel bir görüntüsü olabilirdi.

Kapıyı açtım. Yarım yamalak bir selamlamadan sonra, nazik bir şekilde çeşitli fırçaları, yer bezlerini, halı temizleyicileri ve başka bir takım ev araç gereçlerini tanıttı. Büyük, siyah çantasını el yordamıyla araştırıyor, abartılı anlatımını desteklemek için bir takım temizlik malzemeleri bulup çıkarıyordu.

Ürünleriyle ilgilenmedim ve babamın kapı kapı gezen satıcılara nasıl davrandığını bildiğim halde, kibar davranıp satış yapma beklentisi içinde olan bu adama birkaç dakikalık umut verebilmek için ara sıra başımı sallayarak açık kapının önünde durdum.

Adamın anlattıklarını dinlemekten çok, ses tonuna odaklandım. Bu ses tonunu daha önce duymuştum. Meraklı bir ifadeyle adama döndüm, yavaşça gözlerimle taradım. Adam monoluğunu yarıda kesti ve patlak gözlü bir kurbağa gibi bana bakmaya başladı. İkimizi de rahatsız edecek kadar uzun bir süre, (bazı durumlarda tehdit işareti kabul edilebilecek kadar) sessiz kaldık. Yüzümden kaçıp gitmek üzere olan o kocaman gülümsemeyi daha fazla zaptedemiyordum; kapıdaki adam da aynı şekilde. Adı Will'di, kolejden bir arkadaştı. Felsefe konuşarak, birlikte unutulmayacak birkaç gece geçirmiştik.

"Sen misin?" dedi, elini kıvır kıvır kırmızı saçlarında gezdirerek.

"Ya" dedim. "Kravatın ve bir çanta dolusu ıvır zıvırın yanılttı beni." İçeri girmesi için işaret ettim.

"Sen olduğuna inanamıyorum! Burada mı oturuyorsun?"

"Sadece birkaç haftalığına, sonra mastıra başlayacağım" dedim.

Oturduk. Sorularını kısaca cevapladım, sonra ona nasıl yaşadığını sordum. "Sokakta değilim" dedi, "fakat ona yakın bir şey. Bir süre arabamda kaldım, şimdi kütüphanenin yakınında küçük bir dairem var."

"Bu zımbırtılardan çok satabiliyor musun bari?"

"Pek değil; yine de bu işi planlarımı belirleyebilmek için yapıyorum. Neyse, sana göstermek istediğim bir şey var." Sanki ortaya çıkaracağı gizli bir hazineymiş gibi heyecanla canlandı sesi. "Bayılacaksın" dedi.

Will, içinden kartvizitler ve fırça numuneleri çıkararak çantasını araştırdı. Sonunda daktilo edilmiş, paçavra gibi bir takım kağıtlar buldu ve zafer kazanmış gibi bir ifadeyle bana verdi. İlk sayfanın başında *Will Wall'un Sözlüğü* yazıyordu.

"Yazdığım aforizmaların bir araya gelmiş hali" dedi. "Olur da ilginç bir müşteriyle karşılaşırsam diye yanımda taşıyorum bunları. Sokak felsefesi diyorum ben buna; Hipokrat'ı hatırla: 'Hayat kısadır, sanat uzun, fırsatsa fani'."

Kelimelerin daha derin anlamlarını ve arkadaşımın niyetini anlamak için ara sıra durarak, kısa ve keskin cümlelere göz attım. Bölümlere ayrılmış olan sayfalar *Şeytanın Sözlüğü* ya da Nietzsche'nin yazıları tarzında özlü sözler içeriyordu. Bu

Will'di işte, yirmilerinde, kapı kapı gezerek fırça satan bir kolej mezunundan çok, lise terk bir öğrenciyi andıran. Pek çok insanın kapıyı yüzüne kapatmasına neden olacak ve "İlgilenmiyorum" dışında hiçbir söz sarf etmeyeceği türden, sinir bozucu bir satıcının dış görüntüsüne sahipti. Buna karşın, gözümüzle görüp, tenimizle dokunamayacağımız muhteşem fikirlerle dolu, eleştirel bir zeka taşıyordu.

"Neler okuyorsun bu aralar?" diye sordum.

"Mantıkçı pozitivistlerin eserlerini. Mantığın ne şekilde matematiğe bir temel olarak kullanılabileceğini anlamaya çalışıyorum."

Ciddi bir yüz ifadesiyle söylemişti bunu. Şaka yapmıyordu. Tüm yapabileceğimin anlamış gibi görünerek kafa sallamak olacağından korktuğumdan, detay ve açıklama için soru sorma konusunda tereddüt ediyordum.

Parıldayan güneş ışığı pencereden süzülüyor, Will'in kırmızı saçlarını öyle bir aydınlatıyordu ki kafası neredeyse alev alacakmış gibi parlıyordu. O anda zihnin, pek azımızın bildiği, çok nadiren ziyaret edilen yükseklerde bir katmanının olduğunu fark ettim.

"Neden yer fırçası satıyorsun?" diye sordum.

"Nesi varmış yer fırçasının? Hepimizin temiz yerlere ihtiyacı var."

Will zihinsel anlamda bir yerlere gitmişti ve satıcı kıyafetleri içinde geri dönmüştü. Her ne kadar aynıymış gibi hareket etse de bir şeyler farklıydı. Onu ilk gördüğümde bunu bir parça sezmiştim fakat artık çok daha net bir şekilde görebiliyordum. Benim hayal bile edemeyeceğim fikirleri düşünüyordu.

Bir insanın dünyasını ne tür düşüncelerin oluşturduğunu, trajik ya da komik deneyimlerin insanlara nasıl şekil verip tamamen farklı bir hale dönüştürdüğünü anlamamız mümkün değildir. Kierkegaard'ın kutsal deneyimi sonucu değişen inançlı şövalyesini ve Yunanlı Kazancakis'in romanındaki kendini tamamen dünyevî hayata vermiş olan Zorba'yı düşünüyorum. Dışarıdan bakıldığında şövalye eskisinden ayırt edilemez bir haldedir, fakat hayal dünyasında bir atılım yapmıştır. Artık diğer şeyleri aşıp, gündelik olanın ötesine sadece iyi bir hayat sürmenin ötesinde bir şeye bakmaktadır.

"Heybetli nehirleri, yüksek dağları, yeni yıldızları, ender rastlanan tüylü kuşları, acayip balıkları, refah içinde yaşayan insan ırklarını görmek için gezer insanlar. Kaba bir sersemlikle aval aval bakarlar hayata ve bir şey gördüklerini zannederler. Bunların hiçbiri ilgilendirmez beni. Eğer inançlı bir şövalyenin nerede yaşadığını bilseydim yaya giderdim ona. Bırakmazdım onu. Böylece kendimi hayat boyu korunmuş hissederdim. İşte bu mucize benim aklımı başımdan alıyor." İşte bu Kierkegaard, uğruna hayatını adayabileceği ve ölebileceği bir gerçeklik arayan.

Mutlak bir teslimiyet, bilinmeyeni kabul etme sayesinde, bu dünyada *var olmanın* ne demek olduğunu hissetmeye başlarız. Bunu, elinde bıçağıyla, tanrının en saçma emrine itaat eden İbrahim'de; yeniden dünyaya gelmekten azat edilmek için kutsal bir dağın önünde diz çöküp ilahiler söyleyen bir Budistte toplumun sosyal katmanlarını soyup dünyada *orada olmanın* ne anlama geldiğini anlamamızı isteyen Heidegger'de; bizden şiddetle varlığımıza karşı çıkıp kendi özümüzün yaratıcısı olmamızı isteyen Sartre'da; her *sen* deyişimizde *ben* de demek istediğimizi söyleyen Babur'da; her ne kadar kapı kapı dolaşıp fırça satsa da müşterilerin paralarından çok fikirlerini almayı tercih edecek kadar dünyayı ciddiye alan arkadaşım Will'de anlamaya başlarız.

Beni bir adada tek başıma bırakın; çölde terk edin, tundraya salın; beni dünyadan soyutlayın; yine de geri döner ve bu garip, pejmürde adamı bulurum. Ve döndüğüm zaman, karşımda duran kurbağanın aslında bir şövalye olup olmadığını sonsuza dek merak edeceğim.

1. Bölüm

1

Hayatın pek çok köşeli kenarı vardır; davetkar bir kanyondaki bir uçurum gibi bizi kendine doğru çeken veya açılmış bir metal konserve kutusunun sivri kapağı gibi bizi kendinden uzaklaştıran kenarlar. Kenarı görmek, hissetmek, elimizi üzerinde gezdirmek ile güvenliğe ve rahatlığa kaçıp sığınmak arasında bir gerilim yaşarız. Çekingen davranabiliriz. Oturup bir sonraki hamlemizin ne olacağını düşünüp taşınabiliriz. Kenara bakmayıp yok sayabiliriz. Ne var ki sadece kısa bir süre bu durumda kalabiliriz; eninde sonunda bir karar vermemiz gerekir.

Bir zamanlar, bir gölün yakınında karnı deşilmiş bir kokarca bulan küçük bir kız tanımıştım. Kız bu manzara karşısında, korku ve tiksinti içinde kaçtı. Fakat biraz uzaklaştıktan sonra yavaşladı, durdu ve geri döndü. Arkasına baktı, yerden bir çubuk aldı, hayvanın cansız bedenine yaklaşıp çubukla dürttü. Hayvanın bağırsaklarının dokusunu, şişmiş karnının koyu mavi-kırmızı rengini, ölü ve diri olmak arasındaki sınırı fark ettim. Küçük kız suratını ekşitti, çubuğu elinden bıraktı ve koşarak uzaklaştı.

Daima geriye dönüp bakarız. Öyle değil mi? Kenar asla monoton ya da sıkıcı değildir. Bizim heyecanlı, huzursuz, endişeli, rahatsız, belki de mutsuz ve tedirgin olmamıza neden olabilir. Ne hissedersek edelim yine de ilgilenir, kaçak bir bakış atma ihtiyacı duyarız. Bu tür şeyleri merak ederiz.

Ben merak etmenin de ötesine geçmiştim. Kenarı şemalar, ölçümler ve dikkatle yapılmış gözlemler yoluyla kavramaya çalıştım. Fakat sabrım tükeniyor ve hayal kırıklığına uğruyordum. Araç gereçlerimi fırlatıp attım. Kesin olmaya çalışmanın sıkıcılığına daha fazla dayanamamış, hilekâr ve güvenilmez olmuştum. Anlamaya çalışmak yerine, içten içe, kenarın yok olup gideceğini ve bir daha karşıma çıkmayacağını umut ederek, zamanla aşınıp aşınmayacağını görmek için seyretmeye başladım. Bazen de kenarın sivriliğini törpülemek için, sert bir ağaç gövdesine ya da bir granit taşa sürtmeyi denerdim. Başaramadım elbette. Ben çok küçüğüm, dünya ise çok büyük. Yine de bütün emeklerim boşa gitmemişti. Biraz zaman ve biraz erdem sayesinde, kendi dünyamın kenarlarına dönüp bakıyor ve başka insanların sınırlarının ve çizgilerinin, benim hayatımı nasıl şekillendirdiğini görebiliyorum. Kim olduğumu, ne yapabileceğimi ve nereye gidebileceğimi belirleyen, kendi vücudumun sınırları değil. Diğer herşeyin ve herkesin kenarları, bu olasılıkları şekillendiriyor.

Şair gibi konuşuyorum, çünkü... şey... çünkü size hayatımdaki köşeli kenarı söylemeye çekiniyorum; ama yine de söylemek istiyorum. Söyleyeceğim şeyi uzun uzun anlatmayacağım, dolambaçlı yollarda gezinmeyeceğim, şairlerin her zaman yaptığı gibi, inceden inceye uzatıp durmayacağım konuyu. Doğrudan anlatacağım size.

Sizden tahmin etmenizi istemiyorum. Oyalama, erteleme yok. Öyle uzun bir giriş bölümü, göz yaşları, gitmeler ve sonra geri dönmeler yok. Anlatmak çok zormuş gibi yapıp, araştırma yapmam ve notlar almam gerektiğini söylemeyeceğim. Doğrudan, tereddüt etmeden söyleyeceğim.

Yine de uyarmalıyım, bu pek hoş gelmeyebilir size. Bunun iğrenç ve tuhaf olduğunu düşünebilirsiniz. Eğer gerçekten öyleyse, bakışlarınızı kaçırabilir ya da koşup uzaklaşabilirsiniz; sizi anlarım. Böyle şeylerle yüzleşmeye hazır olmayız her zaman.

Öyleyse, ben hazırım.

... bir saniye durun. Sanki kalkıp gidecekmiş gibi görünüyorsunuz. Lütfen çok hızlı koşmayın. Düşündüğünüz kadar berbat olmayabilir.

Belki de size söylemem gerekmiyor. Sorunumu saklayabilirim pekâlâ. Kenarı örtbas ederim. Bunu daha önce yaptım. Hiçbir fark yokmuş gibi davranabiliriz. Ne dersiniz? Hâlâ söylememi istiyor musunuz?

Tabi ki istersiniz. Kenarlarda gezinmeyi severiz her zaman, öyle değil mi?

Tamam, söylüyorum işte. Birden bire söyleyeceğim. Hazır mısınız?

Belki de önemli bir şey değildir. Başka bir şekilde öğrenebilirsiniz ya da tahmin edebilirsiniz.

Kızmaya başlamış gibi görünüyorsunuz. Moralinizi bozmayın.

Tamam tamam, söylüyorum. Söyleyeceğim şey sadece beş kelimeden ibaret... beş küçük kelimecik. Kısa kelimeler, üzerinde uzun uzun düşünmeyi gerektiren şeyler değil. Çok basit kelimeler.

Hazır mısınız? Emin misiniz? Söyleyeceğim ve sonra başka tarafa bakacağım... çünkü kaçıp gidişinizi görmek istemiyorum. Benden kaçıp gidişinizi ve arkanıza bile dönüp bakmayışınızı görmek istemiyorum. Umarım, gözlerimi ve utancımı saklamaktan vazgeçtiğimde, hâlâ orada olursunuz. Şimdi söylüyorum işte.

Benim sadece iki bacağım var.

2

Hâlâ buradasınız demek! Kaçıp gitmediğinize sevindim. İki bacaklı olmanın tuhaf olduğunu düşünmüyor musunuz? İnsansanız olmayabilir, fakat ben bir kurbağayım ve kurbağaların dört bacağının olması gerekir; iki önde, iki de arkada.

Sol ön bacağımın ucunda, duvarlara ve kayalara tutunmak için, altları yapışkan tabanlı dört parmak yerine, kurbağa derisinden, pürüzsüz yuvarlak bir tokmağım var.

Bu tokmağı, tehdit eden bir yırtıcı hayvana karşı kendimi korumak için, tıpkı bir sopaymış gibi öne arkaya sallayabiliyorum ya da sık çalıların arasından kendime yol açabiliyorum. Başka bir kurbağanın beni korkutmaya ya da sinir etmeye çalıştığı durumlarda ise ona vraklamanın ardından, deriyle kaplanmış çomağımı gösteriyorum, o da uzaklaşıyor.

Sağ bacağımda da benzer bir problem var: perdeli bir kurbağa ayağı yok, sadece orada aslında neyin olması gerektiği hakkında hiçbir ipucu vermeyen, kesik bir parça var. Zıpladığım zaman kayıyorum bazen. Yine de bacağımın sağlam bir yere dayandığından emin olduğum zamanlarda, etkileyici bir sıçrama gerçekleştirebiliyorum.

Önde bir tokmak, arkada bir tokmak. Hem suda hem karada yaşayan bir korsan gibi görünmek için ihtiyacım olan tek şey, tek gözümün üzerinde bir bez parçası. Iğğ, geri çekil seni iğrenç yaratık!

Sizce komik mi? İyi o zaman. Şaka yapmayı severim, çünkü kendime gülmediğim zamanlarda ağlıyorum. Ancak göz yaşlarım üzüntüden değil, en azından yerine mutluluk ve memnuniyet koymak isteyeceğim türden bir üzüntüden değil. Büyük bir bölümünü hiçbir zaman göremeyeceğim ve dokunamayacağım kocaman bir dünyadaki küçücük yerimi anlamaktan kaynaklanan, bir tür melankoli. Bunun ötesinde bir dünya olduğunu bilmek, bir dakikalığına onu hissetmek, benim iki bacağım olduğunu anlamamı sağladı.

Bu şekilde konuşmaya bir son vermeliyim. Yine bir şeylerden kaçıyorum ve bunu size anlatmak istiyorum. Anlatması ilki kadar kolay olmayan bir kenarım daha var, sakladığım, sadece çaresizken ya da tamamen duruma hakimken gösterdiğim. Sırrım şaşırtıcı, acayip ve muhteşem. Onun sayesinde kendimi koruyup kollayabiliyor, karşımdakinin bana, fal taşı gibi olmuş gözlerle ve hayretten açık kalmış bir ağızla bakmasını sağlayabiliyor, dünyanın hareketini durdurup dönüşeceğim şeyi yaratabiliyorum. Bunları anlatmak, iki eksik bacağı anlatmak kadar kolay değil. Ne söylediğimi anlamanız için -ki o zaman bunlar size saçma ve basmakalıp gelmeyecektir- devam etmeliyim.

Kirli, yeşil bir kabın içindeki sığ bir su birikintisinde, amaçsızca yüzen, siyah bir nokta olarak başladım hayata. İlk hava dokunuşunu hissettikten sonraki bir saat içinde, bu minicik hayat yumurtası, bu ben, iki hücreye bölündüm, sonra bu hücrelerin herbiri tekrar dörde bölündü, onların da herbiri tekrar tekrar bölündü, ta ki ben, boş bir topun içindeki tombiş bir böğürtlene benzeyene kadar. Bölünen hücreler benim kalbim, ciğerlerim, midem, beynim, gözlerim ve kulaklarım oldu. Hiç durmadan devam etti bu bölünme, çoğalma ve ayrıştırma, ta ki bütün organlarım tamamlanana kadar.

Jölemsi topun içinde hareket etmeye, kıvrılmaya başladım ve çok geçmeden serbest kalmayı başardım. Bir mantarın tepesine benzeyen koyu renkli ve tombiş bir beden ve yeni bitmiş çimenlerin sapları gibi ince tüylü bir kuyruk biçimde ortaya çıkmıştım. Kendime baktım, ne kadar değişmiş olduğuma hayret ettim ve neye dönüşebileceğimi görünce çok şaşırdım.

Kısa bir süre ortalıkta yüzdüm, sonra düşünmeden bir nilüfer yaprağının altına tutundum. Orada kaldım ve bağırsaklarımdaki yumurtayı tükettim. O da bitince ilk defa açlık hissetmeye başladım. Yaprağın altına tutunmayı bırakıp, kontrol edilemez bir istekle açlığımı gidermek için suyun içine doğru süzüldüm.

Hareket edebileceğim bütün yolları keşfettikten sonra, ilerleyebilmek için kıvrılırken, sallanırken ve sağa sola atılırken, tıpkı bana benzeyen bir şeye çarptım. Hiç düşünmeden, birlikte, önlü arkalı, sonu gelmeyen daireler çizerek yüzmeye başladık. Rastgele bize katılan başkalarıyla karşılaştık ve en sonunda dönüp duran dev bir kitle oluşturduk. Kafalarımızı kocaman kayalara çarparak ve karınlarımızı kumlu zemine sürterek, belli bir amacımız ve yönümüz olmadan yüzdük. Suyun yüzeyinde yosun parçası ya da lezzetli bir şeyler bulduğumuz zaman, her birimiz öne atılıp kalabalığın içinden geçmeye çalışarak, onun etrafında yüzüyorduk.

Tam bu çılgınca hızdan zevk almaya başlıyordum ki şeklim tekrar değişmeye başladı. Ansızın vücudunuzun yan taraflarından bacaklar fışkırması çok tuhaf bir duygu. Derinin altında garip kabarcıklar oluşuyor, sonra istenmeyen bir parça şeklinde büyümeye devam ediyor. Önce işe yaramayan ekler olduklarını düşünerek silkinip atmak istedim onları üzerimden, fakat böyle yapmak suyun içinde kontrolsüzce hareket etmeme ve sert cisimlere çarpmama neden oldu. Daha dikkatli olduğum ve ani hareket eden bacaklarımı kontrol edebildiğim taktirde, daha amacına uygun ve çok kolay bir biçimde yer değiştirebileceğimi keşfettim.

Büyümeye devam ederken, başkalarına ayak uyduramaz hale gelmiştim. Onlar artık benden o kadar hızlı ve çeviktiler ki arkada kalıp, grubun bir parçası olmak için çaba harcamam gerekiyordu. Bazen onlarla olan bağlantımı tamamen kesip, bir dinlenme yeri bulup seyretmeye koyuluyordum. Diğer kurbağaların nasıl da hep birlikte, dalgalanan bir kalabalık halinde yüzebildiklerini ve sonra saçmalayıp koca kafalı, işe yaramaz, kuyruklu ve amaçsız bir kalabalığa dönüştüklerini görmek gerçekten ilginçti. Aniden, öne ve geriye doğru, nasıl da yön değiştirebildiklerini ve nasıl göründüklerinin farkında olmadıklarını seyretmek çok komik ve ilham vericiydi.

Kısa bir süre sonra, diğerlerinin neden bu kadar hızlı olduklarını anladım. Sadece daha büyük değildiler, aynı zamanda dört bacakları vardı; suda neredeyse gerçek değillermiş gibi görünmelerini sağlayacak kadar hızlı hareket ettiren dört bacakları. Önceleri, benimkilerin daha yavaş büyüdüğünü ve eninde sonunda ortaya çıkacağını düşündüm. Bunun gerçek olup olmadığını anlamak için, her gün birkaç kez bir kayanın önünde durarak bacaklarımı ölçtüm. Sağ ön bacağımı uzatıyor ve kayaya ne kadarının değdiğine dikkat ediyordum. Sonra aynı şeyi sol bacağımla da yapıyor, en küçük bir değişiklikte bile umut ve teselli bularak aradaki farkı kıyaslıyordum.

Fakat hiçbir şey değişmedi. Bacaklarım çıkmadı ve bir süre sonra, yiyecek bulmaktan çok bunu düşünmeye başladım. Başka biri olmak istiyordum. Dört bacaklı bir kurbağa olmak istiyordum. Hızlı ve çevik, alımlı ve zarif olmak istiyordum. Diğerleri gibi hareket etmenin, tekme atmanın ve süzülmenin nasıl bir duygu olduğunu bilmek istiyordum. Grubun başındaki o hızlı, her zaman en iyi yiyeceği avlayan ve güçlü bacaklarıyla herkesi kıskandıran kurbağa gibi olmak istiyordum... sadece bir dakikalığına.

Bu düşünce, aralıksız, dur durak bilmeden dönüp durdu kafamın içinde, ta ki yorucu bir hal alana kadar. En sonunda bu işe yaramayan dileğimden vazgeçmek zorunda kaldım. Bir nilüfer yaprağı ne kadar dev bir ağaç olabilirse, ben de ancak o kadar hızlı bir kurbağa olabilirdim.

Vücudum değiştikçe incecik kuyruğum küçüldü ve solungaçlarım kayboldu. Derimin soluyabildiği oksijen miktarı azaldı ve suyun altında nefes alamaz hale geldim. Belli aralıklarla yüzeye çıkıp, yeni oluşmaya başlayan ciğerlerimi havayla doldurmayı düşünmek zorundaydım artık.

Sürekli olarak yukarı, yüzeye çıkıp nefes alıyor, sonra suyun dibine inip saklanıyordum. İkisine duyduğum ihtiyaç da sonu gelmeyen, sıkıcı ve yorucu türdendi. Sonra bir gün, bu durumdan o kadar bıkmıştım ki doğruca suyun kenarına doğru yüzmeye başladım ve çakıllara ulaşana kadar yüzmeye devam ettim. Karada yüzmek gülünç görünüyordu, fakat kendime engel olamıyordum. Yorucu ve zorlu bir mücadelenin ardından, vücudumu ve kısa, küt kuyruğumu nemli kayalara sürüklemeyi başardım. Derin derin nefes alarak etrafıma baktım, bu kadar sert bir şeyin üzerinde hareket edebildiğim için şaşkındım. Sonra, derin bir uykuya yenik düştüm.

Değişmeye devam ederken, suyun dışında yaşayabileceğime dair daha fazla güven ve inanç kazanmıştım. Her ne kadar su dünyası her yandan çevreleyip, müthiş bir güven duygusu veriyorsa da kara, beni karnımın üzerinde durmaya zorluyordu ve karayı keşfetmek tek kelimeyle büyüleyiciydi.

Kuyruğum vücudumla bütünleştikçe, karnım, sanki kocaman iki taş yutmuşum gibi iki yana doğru sarkıyordu. Eğer bacaklarım çok güçlü ve becerikli bir hale gelmeseydi bu durum bir problem olurdu. Bacaklarımı, suyun dışında emeklemek ve hatta zıplamak için kullanabildiğimi gördükçe kendi kendime hayret ediyordum. Siyah derim, alacalı bir yeşile döndüğünde ve karada, bitkilerin arasında kolaylıkla gizlenebilir hale geldiğimde, kendimi mutlu ve rahat hissetmeye başladım.

Başlangıçta kara, yiyecek bakımından kısır gibi göründü bana. Açlığımı gidermek için su birikintisine dönüp, etrafta yüzmesi muhtemel yosun ve benzeri lezzetli yiyecekler aramak zorunda kalıyordum. Fakat bir gün, karasal diyetin lezzetlerini keşfettim. Birdenbire vızıldayan, zıplayan ve etrafta dans eden bir sürü küçücük cırcır böceği ve uçamayan meyve sinekleri peyda oldu. Sanki bir şekilde onların kontrolü altındaymışım gibi, gözlerim böceklerin hareketlerine kitlenmişti.

Aniden, beklenmedik bir heyecana kapıldım. Vahşi ve çıldırmış bir şekilde, cırcır böceklerinden birine doğru zıplamaya başladım. Yeteri kadar yakına geldiğim zaman, böceğe yumruğumla vurdum, onu ağzımla yakaladım, ön ayağım ve tokmağımla iyice ağzıma teptim ve yuttum; hem de bütün olarak! Yaptığım şeye şaşırmış bir biçimde, orada öylece oturup kaldım. Bu muhteşem kahramanlığı gören bir başkasının olup olmadığını anlamak için etrafıma baktım.

Her ne kadar bu, hareketli böcekleri yakalamak gizlilik ve sürat gerektiriyorsa da (özellikle beş kurbağa daha aynısını istiyorsa) bu küçük lokmaların ne kadar lezzetli olabildiklerini keşfettikten sonra, suyun içinde sırılsıklam olmuş yiyecekleri yemek istemedim. Gerçi ben çoğu zaman, meyve sineklerine razı olmak durumunda kalırken, genellikle büyük ve dört bacaklı kurbağalar kapıyordu en kocaman ve en çok zıplayan böcekleri. Yine de kıtır kıtır ve kıpır kıpır bir cırcır böceğini kaptığım zaman dimdik otururdum, gururlu, tatmin olmuş, mutlu ve kendinden memnun bir şekilde.

Herkes giderek daha fazla böcek yemeye başladıkça, daha da büyüdük ve kabımız küçük gelmeye başladı. En iyi saklanma yerleri büyük, zorba kurbağalar tarafından kapılmıştı, 'eh işte' olan yerlerdeyse, iki üç tane küçük kurbağa üst üste istiflenmiş haldeydi. Kesinlikle büyüklerle kapışmak ya da kurbağa sandviçinin en altında kalmak istemiyordum, bu yüzden açıkta, kabın kenarına yakın bir yerde cama yaslanarak duruyor, olabildiğince az sorun çıkarmaya çalışıyordum. Burası pek iyi bir saklanma yeri olmasa da iyi bir gözlem yeriydi. Bir böcek arkadan yaklaşıp, sırtlarına, güvenli bir şekilde, tıpkı bir kayaya tüner gibi oturduğunda, en büyük ve hızlı kurbağaların bile, nasıl da afallayıp hareketsiz kaldıklarını gözlemledim. İki kurbağanın bütün bir öğleden sonrayı, bir saklanma yeri için hararetle kavga etmekle geçirip, sadece bir zıplama mesafesindeki çok daha cazip bir noktayı kaçırdıklarını seyrettim. Çoğu zaman herkes, herşeyi görmezden gelerek sessizce oturur, bir sonraki cırcır böceğinin ortaya çıkmasını beklerdi.

Bir gün hayatım büyük bir kepçeyle değişti. Birisi ağı suya daldırmış ve hışırdatarak gezdirmişti. Kurbağalar suyun derinlerine kaçmışlardı. Kafa üstü, yaklaşan herşeyi iten ve tekme atan, kuvvetli ve sürekli hareket halinde olan bir bacak yığınına doğru sürüklendim. Kendimi geriye doğru itmeye çalıştım fakat daha da içine sürüklendim bu yeşil kitlenin. Gözlerimi kapattım, bacaklarımı vücuduma doğru çektim ve başka bir yerde olduğumu; mesela serin bir havuza doğru kaydığımı hayal ettim.

Cumburlop, ağı suya daldırmış ve bizi yarım kurbağa boyunda suyla dolu başka bir kaba koymuşlardı. Koyu bir gölge bize yaklaştı ve hızla bir kapak kapattı üzerimize. Herkes çıldırmışçasına vıraklıyor, zıplıyor ve kaçacak bir yer arıyordu. Bir köşeye çekilip karmaşayı seyrettim. Büyük pembe uzantılar, kabın kenarlarından tutup kaldırdı bizi ve odadan çıkardı. Hepimizi yankı yapan, gürültülü metal bir kutunun içine koydular. Kapı kapandı ve her şey karanlığa gömüldü.

"On beş dakikaya kadar orada olacaksın" diye bağırdı biri.

Kap titredi ve sallandı. Ara sıra yaylanma oluyor ve beni havaya zıplatıyordu. Tuhaf bir yaratık tarafından sallanan siyah bir kutunun içindeki bir topmuşum gibi yaparak olabildiğince sıkı bir biçimde kıvrıldım. Tam midemin derinliklerindeki bir cırcır böceğini kusmak üzere olduğumu düşünürken, gürültü kesildi ve sarsıntılar bitti. Sonra yaklaşan sesler duyuldu.

Yavaşça, tiz bir gıcırtı sesiyle kapı açıldı. Kafamıza ani bir darbe almışçasına bizi sersemleterek, birdenbire parlak bir ışık kaba doldu. Diğerlerine baktım; taş gibi hareketsizdiler. Büyük bir gölge bize iyice yaklaştı. Sanki bu yeni gelişi değerlendiriyormuş gibi başını eğerek bir süre seyretti ve "hepsini alıyorum" dedi.

3

Birdenbire bir sarsıntı oldu. Bir çift göz bizi seyrediyordu. "Tam buraya yerleştirin... Bunlar çok canlı bir sürü. Büyük ihtimalle fazla zorlanmadan kurtulabilirim bunlardan." İri yaratığın sesi sertti ve derinden geliyordu. Tepemizde dikilip, gece yaşayan yırtıcı bir hayvanın kurnazlığıyla, elindeki ağı döndürerek her açıdan kabı inceledi.

Ağı daldırdı ve her seferinde üç dört tane olmak üzere, bizi havaya kaldırıp hızlı ve maharetli bir biçimde başka bir kaba yerleştirdi. Ben ilk dışarı çıkarılanlardan ve adamın kurbağaları üst üste yığdığı sırada en alta koyduklarındandım. "Şu anda hafiften delirmiş durumdalar" dedi memnun olmuş bir kahkahayla. Kabın üzerini metal bir ağla örttü. "Yerleştikleri zaman onları dışarı çıkaracağım."

Hepimiz aynı anda aynı şeyi düşündük. Saklan!

Herkes çıldırmış gibi tekmelemeye ve zıplamaya başladı. Vücudumu gererek ve beni aşağıya iten çılgın karmaşayı yok saymaya çalışarak, olabildiğince eğildim. Yığın, hızla patlayıp kabuğundan dışarı fışkıran tohumlar gibi dağıldı. Kısa süreli, geçici bir karmaşadan sonra etrafıma bakındım. İlk ayak bastığım yerden sadece bir kurbağa boyu ilerlemiştim. Çakıl taşlarının şıkırtısını duydum. Kabın diğer tarafına baktım ve bir kurbağanın hızlı bir şekilde gizlenme yerine doğru süründüğünü gördüm. Ve sonra sessizlik. Diğerleri ortalıkta görünmüyordu. Ne kadar da hızlı hareket etmişlerdi.

Büyük ve kocaman ağzı olan, bana benzemeyen herşeyden kaçmaya hazır bir şekilde, tuhaf, kısıtlayıcı bir kabın ortasında tek başıma oturdum, onlarca kurbağanın gözü üzerimdeydi ve herkes ne olacağını merak ediyordu. Vücudumun yan taraflarını şişirmek için nefes aldım.

Camın dışında birşey hareket etti. *Tık tık.* Pek de hoş olmayan titreşim dalgaları vücuduma ulaştı. Ürperdim. Hızla nefesimi dışarıya verip birkaç yönü belli olmayan sıçrama yaptım. Yakınımdaki altında boşluk olan, gri, büyük bir kayayı fark ettim. Hızla ona doğru yaklaştım.

Tık Tık Tık. Ses daha yüksek ve ısrarcı bir hal aldı. Sürünerek vücudumu kayanın altına sıkıştırdım. Birinin beni buradan çıkarmasına izin veremezdim. Bacaklarımı karnıma doğru çektim. Birinin, sadece iki bacağım olduğunu görmesine izin veremezdim.

Kitle, kısa bir süre orada kaldı ve sonra uzaklaştı. Tıklama sesi kesildi. Nefesimi verip rahatladım. Çok yorucu bir gün olmuştu. Gözlerimi kapattım, gerçeğe benzeyen ve sıkıntılı rüyalarla dolu derin bir uykuya daldım.

Vıraklama sesleri uyandırdı beni. Diğer kurbağalar saklandıkları yerlerden çıkmış, sürünerek gezinip etrafı keşfediyor, birbirlerine sesleniyorlardı. Kap o kadar büyüktü, o kadar ilginç yerleri ve rahatlatıcı manzaraları vardı ki korkularımın bir kısmını üzerimden attım. Kabın bir ucunda, iyice gerilmiş altı kurbağa yüksekliğinde, ağır ağır akan bir şelâle vardı. Şelale kayalık bir alana doğru çağlayarak akıyor, gri-pembe çakıl taşlarıyla dolu yerde kıvrılarak dönen, küçük bir derecikte toplanıyor ve sonra nilüfer yapraklarıyla kaplı bir havuza boşalıyordu. Zemin, yosun öbekleri, çeşitli boyutlarda yeşil yapraklı bitkiler ve büyük, karışık şekillerdeki kayalarla kaplıydı. Kap oldukça büyüktü ve kurbağalardan biriyle paylaşmak zorunda kalmayacağım bir saklanma yeri bulma olasılığı beni heyecanlandırıyordu.

Her gün kabın farklı bölümlerini keşfedip, yeni saklanma yerleri deniyordum. Özellikle havuzun karşısında, kabın en ucunda, pürüzsüz, siyah bir kayanın altındaki yeri beğenmiştim. Orada öylece, mutlu ve rahat bir biçimde oturup, bir yandan şelalenin altında yansıyan gökkuşağı renklerini seyredip, bir yandan da cırcır böceklerinin izini takip edebiliyordum.

Bu yeni kapta, oldukça rahat görünüşlerine bakılırsa, bir süredir burada olan birkaç eski kurbağa vardı. Vücut şekilleri ve renkleri bizimkine benziyordu, fakat bizden çok daha büyüktüler. Hepsi bizim gelişimizden son derece memnun görünüyorlardı, şelalenin altında köşedeki bir oyukta oturan yaşlı görünümlü bir kurbağa dışında. İçlerindeki en büyük kurbağa oydu. Cildi mat, kırışık ve biraz da çirkindi.

Yaşlı kurbağayı ilk fark ettiğim zaman, onu seyretmekten kendimi alamadım. Bir süre sonra bunu fark etti ve o da bana bakmaya başladı. Gözleri, benimle hemen yanımdaki bir şey arasında gidip geliyor, ara sıra sorgulayan bir ifadeyle kaşını kaldırıyordu. Bu hareketini tuhaf bir şekilde birkaç kez tekrarladı, tedirgin oldum. Yan tarafıma doğru baktım. Yaprakların altında bir şey hışırdadı. Önce iki anten, sonra da önümde en iştah kabartıcı cırcır böceklerinden biri belirdi. Büyük bir heyecan duydum. Bacaklarım gerildi. Zıplamaya hazırlandım, fakat sonra tereddüt ettim ve tekrar yaşlı kurbağaya baktım. Bu süre başka bir kurbağanın önüme atlayıp böceği kapmasına yetmişti. Yaşlı kurbağa omzunu silkti ve gözlerini kapattı.

Fikirlerimi hapseden, kirli yeşil sınırlar artık yoktu. Bu yeni kabın dört bir tarafı şeffaf camdı, o kadar şeffaftı ki daha önce şöyle bir gördüğüm her yere atlayabilirmişim gibi geliyordu. Ah! Neler kaçırmışım meğer! Camın diğer tarafında üst üste ve yan yana dizilmiş, bir araya gelip köşeler ve sınırlar oluşturan, dikdörtgen ve karelerden ibaret bir dünya vardı. Sanki aralarında yer kavgası yapıyorlarmış gibi, büyük olanlar altta, küçük olanlarsa yukarıdaydı. Kenarlar ise parlak kırmızılardan sarılara, uçuk mavilerden kahverengilere çeşitlilik gösteren egzotik renklerle süslüydü. Daha küçük olanların çoğunun üzerinde karmaşık ve renkli desenli benekler, şeritler, hareler ve lekeler vardı.

Tüm bu şekillerin etrafında, içlerinde pek de hoş görünümlü olmayan hayvanların olduğu başka kaplar ve kafesler vardı. Merdivenlerin karşısında, etrafta sürünen, bana tehdit dolu gözlerle bakan, sanki bir şeyin tadına bakmak istiyormuş gibi, uzun ve incecik dillerini ileri geri hareket ettiren yılanlar yaşıyordu. Onların yan tarafında, uzun, kabuklu gövdelerini esneten, arka ayaklarının üzerinde ayağa kalkıp karınlarını cama yaslayan kertenkeleler vardı. Diğer bir kap ise, koyu yeşil ve açık yeşilden, sarı ve turuncuya doğru bütün gün sürekli renk değiştiren, gösterişli bir biçimde vücudunu sergileyen, tek bir bukalemuna ev sahipliği yapıyordu. Hayvanlar odanın uzak köşelerinden, tuhaf sesler çıkarıyorlardı. Köpekler havlıyor, kediler miyavlıyordu. Kuşlar tavana asılmış kafeslerinde kanat çırpıyor, cıvıldıyor, gıdaklıyor, bazen de "seni yakalayacağım, seni yakalayacağım" diye acı çığlıklar atıyorlardı.

Dikkatimi en çok kabın etrafında dolaşan insanlar çekiyordu. Çok farklı çeşitlerde insan, durmadan gelip gidiyordu. Etrafımızda döndükçe bize farklı yönlerden bakıyorlar, arada durup yüzlerini cama yaslıyorlar, içeridekilere şaşırıyor, hatta hayret ediyorlarmış gibi görünüyorlardı. Neden bu kadar ilgi çekiciydim peki? İşte bu benim için tam bir muammaydı.

İnsanlar kaba o kadar çok yaklaşıyorlardı ki nefes alıp veren dev ağızları ve burunları, kabın etrafını buğulandırıyordu. Önceleri korkunç bir görüntüydü bu. Beni yutuvereceklerini zannettim, fakat sonra fark ettim ki onların içeri girmesi, ancak benim dışarı çıkabilmem kadar mümkündü. Hem rahat ve güvende olup, hem de bu dev gibi açılmış ağızlarla ve dikizleyen gözlerle eğlenebilirdim.

Görünüş açısından birbirlerinden çok az farklı kurbağaların aksine, bu insanların hiçbiri birbirine benzemiyordu, hatta birbirlerine yakın bile değildiler. Kısa, uzun, büyük, ince veya bunların arasında bir görüntüye sahiptiler. Vücutlarını parlak, gösterişli veya koyu, cansız farklı farklı kıyafetlerle örtüyor, tıpkı ayaksız kurbağa yavruları gibi etrafta amaçsızca dolaşıyor, daha küçük insanlara *yavaş ol,* ya da *neredesin* diye sesleniyorlardı.

Bu çocuklar durup bize baktıklarında (ki genellikle böyle yapıyorlardı) ben de onlara, ağızlarına ve burunlarına bakmayı seviyordum, kötü bir şey olacağını düşünmeden. Yine de olabilecek en sinir bozucu alışkanlığa sahiptiler. Yavaşça ve dikkatle kabın kenarına yaklaşır, bir cırcır böceğinin üzerine atlamaya hazır bir kurbağa gibi, parmaklarını kıvırıp, içimizden birini hedef alıp cama vururlardı. *Tık tık tık tık.* Bu hareket çakıl taşlarından vücuduma doğru, kulaklarımı tırmalayan bir titreşim gönderirdi.

"Merhaba ufaklık. Zıpla da görelim." *Tık tık tık.* "Uyanık mısın sen?"

İzlemek ilgilerini yeteri kadar çekmiyordu; hoplayıp zıplamamızı, onlar için gösteri yapmamızı istiyorlardı bizden. On parmak birden camın üzerinde geziniyordu, *tık tık tık tık.* Bazen bir yetişkin bu durumu fark edip "Canım, yazıyı okuyamıyor musun? *Lütfen vurmayın* diyor" gibi bir şeyler söylerdi. Fakat birkaç dakika sonra, ortalıkta başka bir çocuk peyda olur ve sinir bozucu sesler yeniden başlardı.

Ara sıra da çocukların bazılarının (görünüşe bakılırsa, her Allah'ın günü kulağımızın dibinde tıktıklayabilmek için) bizi eve götürüp götüremeyeceklerini sorduklarını duyardım. Böyle durumlarda genellikle, bir yetişkin çocuğun yanına çömelir ve "bakarız" ya da "belki daha sonra" benzeri bir şey söylerdi. Bazı durumlarda ise çocuklardan biri kaba uzun bir süre baktıysa ve birkaç kez buraya geldiyse, o zaman kurbağalardan bir tanesi seçilirdi. Kocaman adam ağıyla çıkagelir, seçilen kurbağayı kaptan çıkarır, bir poşete koyar ve çocuğa verirdi. Şimdiye kadar o kurbağalardan hiç geri dönen olmadı.

Bir gün cırcır böceği atıştırdığım sırada, yüzlerinde gülümsemeler, hızla iki çocuğun yaklaştığını fark ettim. Daha uzun boylu olanı bize tepeden baktı. Küçük olan, çömelip camın içini seyretti.

"Vay be, şu kurbağalara bak."

Büyük çocuk onaylayarak başını salladı ve hafifçe geri çekildi. Çocuğun işaret eden parmağının kabın kenarına doğru yaklaşmasını izledim. Bir tıklama sesi için hazırlamıştım kendimi. Fakat o, parmağını cama yapıştırılmış bir kağıda koydu. *"Bombina orientalis"* dedi. "Bu o işte."

Ne aradığımı bilmeden, hızla etrafıma bakındım.

"Bana hepsi kurbağa gibi geliyor" dedi küçük olan.

"Burada öyle yazıyor" diye devam etti büyük çocuk, "bunlar Asya'dan gelen Ateş Karınlı Kara Kurbağaları."

Büyük çocuk konuşurken, kocaman adam geldi, rahat bir şekilde ağını avucuna vurup tempo tutarak. "Hangi kurbağayı istediğinize karar verdiniz mi çocuklar?" dedi.

Çocuklar birbirlerine bakıp başlarını iki yana salladılar.

"Sanırım vermediniz.. Size kısa bir tanıtım yapayım." Adam, ağını salladı ve sapıyla işaret etmeye başladı. "Şuradakileri görüyor musunuz? Küçük olanları, bir iki hafta önce geldiler üreticilerden. Yaklaşık beş haftalıklar. Şuradakiler, daha büyük olanlar neredeyse bir yaşında. Birden fazla alacaksanız, aynı boyda kırmızı karınlılardan almak en iyisi. Yoksa, büyük olan bütün yiyecekleri yemeye kalkabilir."

Oğlanlar, sanki bir cırcır böceğini takip ediyorlarmış gibi, ağın ucunu izlediler. Küçük olan, bir an gözlerini kaçırıp kabın köşesine baktı. "Ya şuradaki, şelâlenin altındaki kocaman kurbağa?

"Kara kurbağası" dedi diğer çocuk.

"Ben ona vali diyorum" dedi adam. "O diğerlerinden biraz farklıdır. Ötekiler kadar zıplamaz. Şelâlenin altında öylece oturur ve izler. Ayrıca buradaki en yaşlı kurbağa odur."

"Kaç yaşında?"

"Emin değilim ama bazılarının yirmi yaşına kadar yaşayabildiklerini duymuştum, ki bu bir kurbağa için çok ileri bir yaş. Onu alamazsınız demiyorum ama bir evcil hayvan için çok iyi bir tercih olmayacaktır."

"Fazla mı yaşlı?" diye sordu küçük çocuk.

"Hayır, ondan değil."

"Neden o zaman?"

"Çünkü" dedi adam, "o tipik bir evcil hayvan mağazası kurbağası değil. Buraya gelmeden önce vahşiydi o."

4

VAHŞİ! Ne demekti vahşi olmak? Yaşlı kurbağa tehlikeli, kötü ya da uyumsuz muydu? Hakikaten tuhaftı, farklı ve şaşırtıcı görünüyordu. Sanki ona kötü ve tarif edilemeyecek bir şey olmuştu. Belki de onu tamamen değiştiren muhteşem bir şey. Her ne olmuşsa bilmeliydim. Onu yakından fakat temkinli bir şekilde izlemeye başladım.

Günün büyük bölümünde hareketsiz kaldığı halde, etrafına karşı kayıtsız değildi. Yaklaşan her insanın, bütün kurbağaların alışkanlıklarının ve cırcır böceklerinin yerinin farkındaymış gibi görünüyordu. Özellikle, bazen saatlerce izlediği Bay Yılan, son derece büyük bir merak uyandırıyordu onda. Ne zaman, bacakları olmayan komşumuz, uzun çizgili vücudunu yukarı kaldırıp cama dayasa ve öne geriye sallansa, yaşlı kurbağa, sanki ikisi gizli bir bağla birbirlerine bağlılarmış gibi, halden anlayan bir ritimle hareket ettirirdi omuzlarını ve gözlerini. Çok tuhaf ve rahatsız edici bir şeydi bu. Tıpkı diğer kurbağaların yaptığı gibi mesafeli durdum ona.

Yaşlı kurbağa acıktığı zaman gölün karşı tarafına yüzer, nemli kayalara tırmanır ve araştırırdı. O anda avlanmakta olan diğer kurbağalar durur ve yaşlı kurbağanın istediği yiyeceğe doğru gitmesine izin verirlerdi, bu sadece bir sıçrayış mesafesindeki bir cırcır böceğinden feragat etmek anlamına gelse bile. Yaşlı kurbağa zarif ve yavaştı, nadiren gereksiz bir harekette bulunuyordu. İşi bitip, karnı doyduğunda şelâlenin yakınındaki yerine geri dönüyor ve yine o gözlemci, dalgın halini takınıyordu.

Bir gün, bir grup cırcır böceği geldikten ve diğer kurbağalar tatmin olana, uykuları gelene kadar tıka basa onları yedikten sonra, ben de kendime birkaç böcek bulabilmek için bulunduğum yerden dışarı çıktım. Havuzun yakınındaki bir yaprağın altında, küçük ve lezzetli görünen bir cırcır böceğinin zıpladığını fark ettim. Sürünerek kayaları geçip, sinsice zıplayan böceğin arkasından yaklaştım. Hart. Akşam yemeğim olmuştu hayvan. Nihayet huysuz ihtiyar dikkatimi çektiği sırada, böceğin arka ayakları hala ağzımdan sarkıyordu. Yaklaştığını görmemiştim.

"O benim böceğimdi" dedi, gerçekten oldukça tek düze bir ses tonuyla.

Ne yapacağımı, ne diyeceğimi bilmiyordum. Yarısı çiğnenmiş olan yemeğimi tükürüp ona vermeyi geçirdim aklımdan.

"İster misin?" diye mırıldandım.

Böcek rahatsız bir biçimde kıvrandı ağzımın içinde. Yaşlı kurbağa gözlerini dikmiş seyrediyordu. Yapacak başka bir şey yoktu; derin bir nefes alıp yuttum.

"Benim böceğimi yedin."

Gözlerimi çevirip ona baktım. "Özür dilerim, orada olduğunu fark etmedim."

"Etmedin mi?" dedi duygusuz bir şekilde. "Doğruca bana baktın ve sonra onu yuttun. Ayrıca sürekli beni izliyorsun. Nasıl beni fark etmediğini söylersin?"

"Seni seyrettiğimi mi düşünüyorsun?" dedim şaşırmış gibi yaparak.

"İnkâr mı ediyorsun?" diye sordu.

Zor sinirlenen fakat sinirlendiği zaman öfkeden deliye dönen ve etrafındaki herkesi (ben dahil) yiyen bir kurbağa olup olmadığını merak ediyordum. Tavrından, ses tonundan, cüssesinden o kadar tedirgin olmuştum ki ne diyeceğim ve ne yapacağım konusunda kararsız kaldım. Yüksek ve endişeli bir ses tonuyla "Hâlâ vahşi misin?" deyiverdim.

"Böyle mi söylüyorlar hakkımda... vahşi olduğumu mu?"

"Ağı olan dev adamı duydum... bütün kurbağalar hakkında konuşurken."

"Sonra..." dedi yaşlı kurbağa, devam etmemi sağlamak için. "Ne söyledi?"

"Senin diğerlerinden farklı olduğunu. Senin... *vahşi* olduğunu. Aslında bunun anlamını bilmiyorum ama eğer hâlâ vahşiysen, lütfen sinirlenme. Bir daha asla senin böceğini yemeyeceğim."

Dikkatini dağıtabilmek umuduyla, gergin bir biçimde konuşmaya devam ettim. Gözünü kırptığı zaman belki zıplayıp kaçabilirim diye, bitkilerden, kayalardan ve böceklerin bolluğundan bahsederek lafı geveledim. Anlattıklarım tükendiği zaman kekelemeye başladım. Söylediklerimi tekrar ettim, kaçma zamanının yaklaştığını düşünerek, bacaklarımı gerdim.

Huysuz ihtiyar beni süzmeye devam etti. "Abuk sabuk konuşmaya bir son versen iyi olur" dedi, "ve bunu ayağını ağzına sokmadan yapmanda fayda var."

Ayağım! Şaka mı yapıyordu?

Önce kimin göz kırpacağını görmek için gözlerimizi dikip birbirimize baktık. İki bacağımı ve iki tokmağımı düşündükçe, yaptığı şakaya kızdım. Korkum yok olup gitmişti, tokmağımı kaldırıp ona doğru uzattım. "Böyle bir şey hiçbir zaman olmayacak. Benim bacağım bile yok."

Patlak gözleri iyice büyüdü. Kocaman ağzı o kadar açıldı ki mağara gibi boğazından aşağısını görebildim. Sonra güldü.

Bacağımın ucuna baktım, sanki önemli bir şey gösteriyormuşum gibi, yaşlı kurbağaya doğru uzattım yuvarlak et topunu.

"Güzel ve sıkı" dedi. "Böyle bir yumrukla iyi bir boksçusundur herhalde.

"Ben boksör değilim" dedim mağrur bir biçimde, küstahlığının karşılığını vermek isteyerek.

Gülümsedi ve kafasını salladı. "Bence tekrar düşünsen iyi edersin. Muhteşem bir boksör olabilirsin. Tek bir yumrukla bir yılanın gözünü bile çıkarabilirsin büyük olasılıkla. Hatta bacağını kafasına bile saplayabilirsin."

Tablo o kadar korkunçtu ki irkildim. Sonra kendi kendime güldüm; tablo çok komikti aynı zamanda. Bir süre ikimiz de gülmeye devam ettik, diğer kurbağalar bize doğru bakana kadar. İlk kez eksik bacaklarımda komik olan bir yan buluyordum.

"Daha önce hiç böyle tokmaklar görmemiştim" dedi.

Hızla bacaklarımı vücudumun altından çıkarıp baktım. Gülme kesildi.

"Bana darılma. Sadece yakından görmek istiyorum. Bir parça farklı olan şeyler çok ilgimi çeker, sen de farklısın, öyle değil mi?"

"Bacaklarımda tuhaf bir şey yok" dedim onları yok saymaya çalışarak.

"Daha önce sadece iki ya da üç parmağı olan kurbağalar görmüştüm, bir keresinde de bacak yerine kanatları olan bir kurbağa görmüştüm, fakat hiç tokmak görmemiştim. Böyle şeylere merakım vardır."

Kafamı salladım ve bakışlarımı kaçırdım.

"Göster bakayım... Görünüşe bakılırsa, bir perdeli, bir düz bacağın var."

"Ne?" hafifçe ona doğru döndüm.

"Senin ve benim gibi kurbağaların sadece arka bacaklarında perdeleri olur; öndeyse bağımsız parmaklarımız vardır. Bir perdeli, bir de düz bacağın var, değil mi?"

"Bunu bilmiyordum" dedim.

"Şaşırmadım. Sürekli bacaklarını düşünüyorsun, fakat onlara hiçbir zaman gerçekten bakmıyorsun. Neyse, merakıma engel olamıyorum. Biraz daha yakından bakabilir miyim? Bir tanesine dokunabilir miyim?" Ses tonu yumuşak ve sabitti. Hoş bir tavırla öne doğru uzandı.

Bu istek beni şaşırtmıştı. Önce bacağıma, sonra da ona baktım. Ön tokmağımı kaldırıp ona uzattım. Nazik bir biçimde, bacağını benimkinin üzerine koydu. Daha önce hiçbir kurbağa bana bu şekilde dokunmamıştı. İçime bir sıcaklık yayıldı.

"Senin vahşi ya da kötü olduğunu sanıyordum."

"Endişelenecek bir şey yok" dedi. Yavaşça bacaklarımızı yere indirdik. "Sadece eskiden dışarıda yaşıyordum, ağaçlar, çimenler ve bir sürü saklanma yeriyle dolu kocaman devrilmiş kütüklerle çevrili büyük bir gölde."

"Dışarısı nerede?"

"Camın diğer tarafındaki her yer dışarısıdır." Bacağını kaba sürttü. "Dışarıda olduğun zaman, gerçekten her şeyin dışarısında olduğun zaman, sınırsız zıplayabilirsin, en azından dev bir kaya ya da asfalt bir yol önüne çıkana kadar."

"Vay be!" dedim bu düşünceye şaşırarak. "Orada olmayı seviyor muydun?"

"Çok zevkli olabiliyordu. Ilık güneş, her boyda nilüfer yaprakları ve her yerde vızıldayan, canlı böcekler var. Bir kabın içerisinde asla hayal edemeyeceğin olasılıklar sunar sana dışarıda olmak."

"Ne kadar heyecan verici!"

"Öyledir. Fakat çok da tehlikeli olabilir dışarıda olmak. Vahşi hayvanlar kol gezer her zaman. Hiç fark ettirmeden yaklaşır ve bir lokmada yutarlar seni."

"Ama senin başına böyle bir şey gelmedi" dedim.

"Dışarıda yaşadığın zaman, kendini nasıl koruyacağını hemen öğreniyorsun. Başlarda her türlü tehlikeden zıplayarak uzaklaşmaya çalışıyorsun, fakat kısa bir süre sonra öğreniyorsun ki her zaman güvenli olan bir yer yok. Aslında yapabileceğin tek bir şey var, özellikle de tehlike dört bir yandan sarıyorsa seni."

"Ne?" diye sordum heyecanla.

"Çok basit" dedi.

"Nedir o?" dedim.

"Hareketsiz durmak" dedi.

"Hepsi bu mu?"

"Evet" diye cevapladı. "Hareketsiz durmak. Cam bir kafesin içinde olduğun zaman, içeride olan her şeyi öğrenmek kolaydır. Her kayayı, girintiyi, çıkıntıyı ve şelâleyi keşfedebilirsin. Bütün dünyanı tanıyabilirsin. Fakat dışarıda neler olduğundan tam olarak emin olamazsın. Hareketsiz durman, sürekli izlemen, sürekli hazır olman gerekir."

"Her yere gidebildiğini sanıyordum. Az önce diyordun ki..."

Sözümü kesti. "Her yere giderek yaşlı bir kurbağa olamazsın. Hareketsiz, çok hareketsiz durarak yaşlı bir kurbağa olmayı başarabilirsin."

5

Yaşlı kurbağa ile daha fazla zaman geçirmeye başladım. Sabahın ilk ışıklarıyla birlikte, pürüzsüz, siyah kayanın altındaki rahat yerimden ayrılıyor, havuzun diğer tarafına yüzüyor, çağlayan suyun altına dalıp küçük, köşeli bir taşın çıkıntısına doğru sürünerek gidiyordum. Sonra çıkıntıdan aşağıya iniyor, şelâlenin arkasında onun yanındaki küçücük bir yere sığışmaya çalışıyordum. İkimiz yan yana suyun yüzeyinden içeriye bakarken ve küçük nem zerrecikleri beni sürekli serinletirken rahattım.

Bazen sürekli konuşur, ben sözcüklerin arasında kaybolana dek hikâye üzerine hikâye anlatırdı. Genelde tamamen sessizdi, hatta neredeyse yanında oturduğumun farkında değilmiş gibiydi. Bir vraklamayla boğazımı temizlesem, "güzel bir gün" ya da "büyük böcek" gibi bir şeyler söylesem bile, zerre kadar oralı olmazdı. Ne benim ne de kabın içinde olan bitenin farkındaymış gibi görünüyordu. Yine de bütün gün sessiz de kalsa sırf onun varlığından bile bir şey öğrendiğimi hissederdim. Fark ettirmeden, kaçamak bir şekilde derisinin sıra dışı rengini ve şeklini seyrederdim. Sırtında sanki derisinin altına sert çakıl taşı tanecikleri yerleştirilmiş ve sonra siyah, kısa çizgilerle boyanmış gibi görünen garip şekilli çıkıntılar vardı. Ara sıra sessizce otururken, kırışık yumrularını saymaya çalışırdım, yenileri çıkıyor mu diye anlamak için. Bir keresinde onu seyrederken beni yakaladı.

"Neye bakıyorsun?" diye sordu.

Onu duymamış gibi yapmaya çalıştım.

"Bana mı bakıyorsun?" O da bana bakmaya devam etti.

Omuz silktim, anlamamazlıktan gelerek.

"Neye baktığını bilmiyorsun, değil mi?"

Tekrar omuz silktim. "Ne demek istiyorsun?" diye sordum.

"Sen soruya cevap ver. Neye bakıyorsun?"

Yumruları hakkında bir şey söylemek istemediğim için durakladım. "Bir kurbağaya" dedim hafif tereddütle ve gülümseyerek.

"Bir kere, ben kara kurbağasıyım."

"Ah, özür dilerim. Biz kara kurbağasıyız, değil mi?"

"Ne olduğunu bilmiyor musun?" Sesinde hafif bir alaycılık vardı.

Başımı salladım. "Sanırım hayır. Ben kurbağa olduğumu zannediyordum. Kara kurbağası mıyım?"

"Kurbağa ya da kara kurbağası" diye tekrarladı. "Çeldirici bir cevabı olan başit bir soru."

"Yani?" diye sordum.

"Kurbağa, kara kurbağası, köpek, kedi, yılan" dedi. "Tüm bunlar insanların bizi, oraya ait olmasak bile bir kategoriye koymak için kullandıkları isimler sadece. Kurbağaların suyu sevdiklerini ve pürüzsüz derileri olduğunu, kara kurbağalarının ise kuru yerleri sevdiğini ve yumrulu derileri olduğunu söylüyorlar. Senin de fark ettiğin üzere, ikimiz de suyu seviyoruz ve yumrulu deriye sahibiz. O zaman biz nereye dahiliz?" Sustu. "Bir kurbağa ve kara kurbağası arasındaki asıl farkı biliyor musun?"

Kafamı salladım ve büyük bir merakla ona doğru eğildim.

"Asıl fark nasıl düşündüğün. İnsanlar der ki eğer bir kurbağayı öpersen seni bir prense dönüştürür, eğer bir kara kurbağasını öpersen siğillerin çıkar. Sadece bakış açısı farkı."

"Bu durumda sanırım ben ikisiyim de" dedim." Bazen kurbağaya benzediğim günler geçiriyorum ve kendimi asil hissediyorum. Bazen de kendimi bir kara kurbağası gibi hissediyorum ve kendime ait bir alan istiyorum.

"Ne demek istediğini anlıyorum" dedi.

Bir süre düşündüm ve aramızdaki sessiz anlayışa kulak verdim.

"Belki de..." dedim, "kurbağa ya da kara kurbağası ya da başka bir şey olmamın önemi yoktur."

"Hayır, önemi var. Şunu bilmende fayda var; dışarıdaki tüm o insanlar, kabımızın etrafında dolaşan ve sürekli bizi gözetleyenler, kurbağa peşindeler. Kara kurbağalarıyla pek ilgilenmiyorlar."

"Öyleyse, ben kesinlikle bir kara kurbağasıyım" diye haykırdım. "Dışarı çıkarılıp yem olmak istemiyorum."

"*Yem olmak* mı? Böyle mi olacağını zannediyorsun? Hayır. Bizi asla yemezler; özellikle de iki bacaklı bir kurbağayı." Yüzünü ekşiterek sırıttı. "Burası bir evcil hayvan mağazası, yiyecek satan bir market değil."

"Kurbağaları ne yapıyorlar o zaman?"

"Seni eve götürüyor ve seninle ilgileniyorlar. Kendine ait bir kabın ve kendi cırcır böceklerin oluyor ve yiyeceğini çalacak yılanlar, kuşlar, başka kurbağalar olmuyor."

Kendime ait bir kap! Ne kadar cazip bir fikir. "Seçilebileceğine dair bir umudun var mı?" diye sordum.

"Buradaki pek çok hayvanın umudu var. Bazıları seçilebilme olasılığı karşısında çok büyük bir heyecan yaşıyor. Sadece kurbağaları gözlemleyerek, bir evcil hayvanın coşkusu hakkında fikir sahibi olamazsın. Söylediğimi anlamak istiyorsan, köpek yavrularına bak. Görüyor musun şurada sürekli havlayan, inleyen ve zıplayanları?"

"Evet."

"Onursuzca insanlara yaltaklanıyorlar. Ne zaman oradan bir insan geçse, sırt üstü yatıp karınlarının okşanması için yalvarıyorlar. Ya dikkat çekmek için zıplıyor ve tırmalıyorlar ya da yerlerde sürünüp kuyruklarını sallıyorlar. Bir sonraki insan göründüğünde bu abartılı karşılama yeniden başlıyor."

"Sence ne yap..."

"Hayır, hayır" diye homurdandı. "Diğer hayvanlar, tıpkı biz kurbağalar gibi daha çok direnç gösterir. Bir kurbağa asla beklenmedik bir anda sahibinin ya da herhangi bir insanın üzerine atlamaz. Bir köpeğin yaptığı gibi birinin üzerine atlarsan ne olur biliyor musun?... Öfkeli bir tiksinme ifadesiyle yere fırlatılırsın. Kurbağaların kurbağa gibi bir kişiliği, köpeklerinse köpek gibi bir kişiliği vardır ve ikisi birbirine karıştırılmamalıdır."

"Tavsiye için teşekkürler" dedim, tam olarak neden köpeklerden bahsettiğimizi anlayamayarak. "Soruma cevap vermedin. Bu insanlar tarafından eve götürülmek istiyor musun?"

"Onlardan birinin bana bakmasını istemiyorum" dedi yaşlı kurbağa. "Dışarıda yaşamak bakış açını değiştiriyor." Bana döndü. "Ama eğer ben bir insana bakabilseydim mutlu olurdum."

"O insanlardan birine mi?" diye sordum son derece şaşırmış bir şekilde.

Bana baktı ve başıyla onayladı.

"Bir kurbağa nasıl sevebilir ki burunlarını cama dayayıp tıklayan, bu patlak gözlü hantal canavarları? Sen nasıl olur da *onlardan* birine bakabilirsin?"

"Bilmiyorum" dedi. "Fakat camdan onların dünyasına baktığım zaman, sahip olduklarından çok daha fazlasını istediklerini görüyorum. Buraya kedi, köpek, domuz, fare, kertenkele ve kurbağa almaya geliyorlar. Bilemiyorum fakat, bazen düşünüyorum da belki de onların bakacak bir şeyden çok, onlara bakacak birine ya da bir şeye ihtiyaçları var."

"Böyle bir şeyi hayal edemiyorum" dedim tokmağıma bakarak. "Ben kendi kendime bile bakamıyorum."

"Zamanla belki anlarsın" dedi.

"Sence" dedim biraz tereddüt ederek. "Sence birisi, günün birinde iki bacaklı bir kurbağayı sevebilir mi?"

"İmm... Emin değilim, belki" dedi. "Eğer iki bacaklı bir köpek olsaydın bu sorun olurdu. Fakat kurbağa olunca... afedersin... kendi kendime dalga geçiyorum. Sen bunun pek komik olduğunu düşünmüyorsundur herhalde. İki bacağı olan köpekler de var aslında. Bir keresinde arka bacaklarında ayak yerine patenler olan bir köpek görmüştüm. Ama senin tekerleklerin olsa zıplaman çok zor olurdu." Yüksek sesli bir kahkaha geldi huysuz ihtiyardan.

"Beni bu kadar komik bulmana sevindim."

"Önemli değil. Belki sen de anlarsın zamanla, eğer kendimize gülmezsek, o zaman ağlarız."

Biraz güldüm, şakanın komikliğinden çok kibarlıktan. "Bu soruma cevap değil" dedim.

"Aslında bir cevabım yok" dedi yaşlı kurbağa. "İnsanlar benim hiç anlamadığım tercihlerde bulunuyorlar. Bir zamanlar burada, kırmızı gözleri olan, bembeyaz, bir deri bir kemik bir kurbağa vardı. Biz ona bakmaya bile tahammül edemiyorduk, fakat o, bir haftadan kısa bir sürede seçildi."

"Umarım burada kalabilirim" dedim, "senin yanında oturup şelaleye bakarak ve camın diğer tarafındaki gösteriyi seyrederek."

"Ummak mı?" dedi, o kelimeye takılarak ve görünmeyen bir kuşun yön değiştirmesi gibi konuyu değiştirerek. "Neden?"

"Çünkü çok fazla şey umut etmek, özellikle de gerçekleşme olasılığı olmayan şeyleri beklemek çok tehlikeli olabilir."

"Tehlikeli mi?" Ben sürekli umut ederim. En büyük cırcır böceğini kapacağımı umut ederim. İki tane daha bacağımın olmasını umut ederim. Sonra..."

"Dilemeyi ve umut etmeyi karıştırma. Bir şişeden cinin çıktığı ve üç dilek hakkı verdiği hikayeyi duydun mu hiç?"

"Hayır" dedim.

"Bir cin, yaptığı hatalar yüzünden bir şişeye hapsedilir. Şişe okyanusa fırlatılır ve 1800 yıl boyunca amaçsızca yüzer. Bir gün bir balıkçı ağını denize daldırır. Ağın dibinde tuhaf görünen bir şişe bulur. Balıkçı yüzyıllardan kalma mührü açar ve bir toz bulutu içinden bir cin çıkar. Cin özgür kaldığı için o kadar mutlu olur ki üç dilek hakkı bahşeder balıkçıya. Cin balıkçıya üç umut bahşetmez, bahşedemez."

Yaşlı kurbağa bana döndü. "Anlıyor musun? Umut bizim kendi verdiğimiz bir karardır; kimse bize veremez. Senin gerçeğin iki bacaklı bir kurbağa olduğun. Dört tane bacağa sahip olmayı ummamalısın çünkü bu gerçekleşmeyecektir."

"Ya yine de umarsam?"

"Dilediğin şeye hiçbir zaman sahip olamasan da bu önemli değil. İstediğin kadar dört tane bacak dile fark etmez. Dilekler saçma düşüncelerdir; mantıksızdırlar, tıpkı bir yıldız dilemek için havuza para atmak gibi. Fakat umduğun şeye asla sahip olamasan da bu senin seçimlerini etkiler ve seni değiştirir. Eğer umut ederek çok uzun süre geçirirsen uçuruma yuvarlanırsın, umutsuzluğa, hiçliğe."

"Pe- peki..." kekeledim, sözlerine şaşırmıştım. "Ne ummalıyım?"

"Senin kendi çabanla ulaşabileceğin şeyleri umut et. En büyük böceği yakalama umudunu gerçekleştirebilmek için yapabileceğin pek çok şey var: nereye yerleştiklerini gözlemle, diğer kurbağaların stratejilerini izle, kendini doğru yere konumlandır. Buna karşılık, dört bacaklı bir kurbağa olmayı sadece dileyebilirsin."

"Ama, bir dakika, ben..."

"Dinle" diye sözümü kesti. "İstediğin kadar dile dört bacaklı olmayı, fakat asla umut etme." Yüzünden tuhaf bir gülümseme geçti. İkimiz de sessiz ve düşüncelere dalmış bir şekilde oturduk.

6

Duyulan tek ses, şelaleden akan, küçük havuzun üzerinde yaylanan yumuşak damlacıklardı. Işıklar loştu. Mağazanın kapalı olduğu bir gündü, bu yüzden her zamankinden daha fazla böceğimiz vardı. Acele etmeden ve tadını çıkararak yavaş yavaş yemek yerine, böcekleri elimizden geldiği kadar çabuk tükettik. Midemiz şişmişti ve doymuştuk. Artık etrafı kolaçan etmek için bir neden yoktu, bu yüzden günümüzü sessizce dinlenerek ve uyuyarak geçirdik. Ara sıra bir kurbağa uykusunda hafifçe vıraklıyor, kendi kendini uyandırıyordu.

Yaşlı kurbağanın en hareketli olduğu günler bunun gibi günlerdi. Şelâlenin altındaki yerini terk eder, her köşeyi ve çatlağı inceler, kabın etrafında sürünerek gezinir ve sonra bütün kurbağalara kısa ziyaretlerde bulunurdu. İşte bu gezintilerden birinde öğrendim, nasıl olup da bu kaba düştüğünü.

Konuşana kadar fark etmedim yaşlı kurbağanın yaklaştığını. "Sessizliğin tadını mı çıkarıyorsun? Genellikle şu anda olduğu gibi bütün gün sürmez." Başıyla selam verdi ve gitmeye hazırlandı.

"Bekle" dedim. "Bir şeyi merak ediyorum."

"Evet?" Arkasına dönüp bana baktı.

"Neden sen de bizler gibi dinlenmiyorsun ya da uyumuyorsun? Bütün böcekler bitti."

"Evet, biliyorum. Sanki görüp görebileceğiniz son böceklermiş gibi tıka basa yediniz hepiniz. Gezinmem sadece alışkanlıktan. Dışarıda yaşadığın zaman, her yer sessizken gezinmeye alışırsın, özellikle de göç zamanı geldiğinde."

"Göç etmek" diye tekrar ettim. "Ne demek istiyorsun?"

"Bir yerden bir yere hareket etmek, yeni bir ev bulmak için periyodik araştırma. Pek çok hayvan yapar bunu."

"Neden evini terk ederdin?"

"Evler değişir" dedi. "Fazla sıcak ya da fazla soğuk, fazla nemli ya da fazla kuru, bir fırtınada tahrip olması ya da etraftaki yeni gelen yırtıcı hayvanlar yüzünden olabilir. Yazın sığ göller genellikle yazın kurur ve kurbağaları daha derin sulara gitmeye mecbur eder. Bazen yakındır bu yerler birbirine, bazense hoplama ve zıplamayla geçen pek çok gün sürer oraya ulaşmak. Eğer vahşi bir kurbağaysan, tıpkı pek çok hayvan ve böcek gibi göç etmek hayatının bir parçasıdır."

Yeni bir yuva bulmaya çalışarak, bir gölden diğerine zıplaya zıplaya, elinden geldiğince hızlı ve uzağa giderken başından geçen müthiş maceralar anlattı. Hayal edebileceğim herşeyden daha heyecan vericiydiler. "Kulağa muhteşem geliyor" dedim.

"Muhteşemdi; ta ki beslenme gölü ile dinlenme gölü arasına dört şeritli bir yol yapılana kadar. Hepimiz, hızla giden arabaların arasından geçmeye çalışıyorduk. Genellikle şoförler, yoldaki küçük şeylerden pek haberdar değildirler. Pek çok kurbağa yolun karşı tarafına geçmeyi başaramadı."

"Yani onlar..."

"Ezildiler. Evet. Kaynak gölüne yaptığım son göçü hatırlıyorum. Sabah erkenden yol kalabalık olmadan çıktım. İki tarafa da baktım ve zıplamaya başladım. Aniden bir araç hızla bana doğru yaklaştı. Yoldan kaçmak için vakit yoktu. Yapabileceğim tek şey, ortada bir yer bulup, arabanın tekerleklerinin iki yanımdan geçmesini umut etmekti. Araba devam etmek yerine, yavaşladı ve durdu. Küçük bir kız indi, önümde çömeldi, ellerini uzattı ve beni havaya kaldırdı. Bana şirin olduğumu söyledi, onunla gitmek isteyip istemediğimi sordu."

"Gittin mi?"

"Seçeneğim yoktu. Beni plastik bir kaba koydu, bir kapak kapattı ve onun yeni kurbağası olabileceğimi söyledi. Sonra hareket ettik. Artık onun yatak odasında pencerenin hemen altındaki bir rafta, güzel bir kabın içinde yaşıyordum. Ağaçlı gür bir çimenliğe bakan hoş bir manzarası vardı. Güzeldi fakat dışarıdaki yaşamdan sonra çok büyük bir değişiklik olmuştu."

"Onunla yaşamayı ve evcil hayvan olmayı sevdin mi?" diye sordum.

Sanki derin düşüncelere dalmış ya da uykuya dalmak üzereymiş gibi gözlerini kapattı.

"Vahşi olmayı özlüyor musun?" diye sordum ısrarla.

"Bu tür sorularda kesin bir *evet* ya da *hayır* cevabı yoktur" dedi. "Bu deneyimi anlatacak doğru kelimeyi bulamıyorum. Belki bir gün anlarsın nasıl bir şey olduğunu."

Dışarıdan, vahşi bir göldeki yaşamından koparılmış, bir kaba yerleştirilmiş olduğu halde, *evet* ya da *hayır* diyemiyor olması oldukça tuhaftı.

"Bir şey daha sormak istiyorum" dedim biraz çekinerek.

"Evet" dedi.

Derin bir nefes aldım ve uzun zamandır öğrenmek istediğimi sordum. "Nasıl olup da buraya, bir evcil hayvan mağazasına geldin?"

"Birkaç yıl bana baktıktan sonra, kızın anne ve babası ayrıldı. Başka evlere taşındılar. Kız da beni evcil hayvan satan bir dükkâna verdi. Birçok yer değiştirdim. En sonunda buraya geldim. Hepsi bu, öyle çok acıklı bir hikaye değil."

"Katılmıyorum! Ne kadar macera yaşamışsın! Daha fazla şey dinlemek istiyorum, göl hakkında, evcil bir hayvan olarak yaşamak hakkında ve farklı kaplar arasında gidip gelmek hakkında..." Hızla ve heyecanla konuşuyordum. Bütün hikayelerini olabilecek en hızlı şekilde duymak istiyordum.

Araya girdi. "Ben bunlara macera demem. Bazen oldukça korkunç olabiliyordu. Eğer hayatta macera diye bir şey varsa, o da olayı tekrar anlatmaktır. İstediğin gibi bir şeyleri ekler, çıkarırsın. Fakat o olayı yaşadığın sırada çoğu zaman başka bir yerde olmayı dilersin."

Söylediklerinin çoğunu anlamıyorsam da "tabi" dedim başımı sallayarak, anlatmaya devam etmesi için. Benim, kayaların altında saklanmak, böcek yemek ve iki bacağım için üzülmekten ibaret olan hayatımdan çok daha farklı bir dünyadan geliyormuş gibiydi düşünceleri. Dinlerken sözcüklerinin ritmik ve esrarengiz seslerine doğru sürüklenirdim.

7

Küçük bir kız kaba doğru yaklaştı. Çömeldiği sırada, şelâlenin kızın koyu mavi, araştıran gözlerini yansıttığını gördüm. Kız eğilip, ayaklarını sürüyerek kabın etrafında dolaştı ve her yandan içine baktı. Diğer kurbağalar ne kadar yükseğe zıplayabildiklerini ve ne kadar becerikli olduklarını göstermek için hoplayıp zıplamaya başladılar. Kız onlara gülümsedi ve göz kırptı. Çocuk yüzü, pürüzsüz ve coşkuluydu.

"Baba" dedi, "gerçekten sevimli bir kurbağa almak istiyorum."

Bir adam, kızın yanına doğru yürüdü ve elini nazikçe omzuna koydu. "Hangisini istersen onu al."

Küçük kız iki eliyle saçlarını kulağının arkasına itti. Koyu sarı bukleleri omzuna düştü. Kabın etrafında tur atmaya ve içeriye bakmaya devam etti. Yavaşça, büyük bir dikkatle kayaları, bitkileri, havuzu ve kumu inceledi. Şelâleye bakarken durakladı. İçeriyi daha iyi görmek için yaklaşmıştı, gözleri ışıl ışıl parlıyordu.

Şelâlenin altında yaşlı kurbağanın yanında oturuyordum. Yaşlı kurbağa gözleriyle takip ederek büyük dikkatle kızı izliyordu. Birbirlerini görmüş gibiydiler, aynı anda göz kırptılar. Yaşlı kurbağa bana baktı. Hiç tereddüt etmeden, "senin için çok uygun bir eş olur. Çık dışarı ve göster kendini" dedi.

"Ne? Niye böyle söylüyorsun?"

"O, gelenlerin çoğundan farklı" dedi.

"Nereden biliyorsun? Daha birkaç dakikadır burada."

"Uzun zamandır camın arkasından insanları izliyorum, senden çok daha uzun süredir. Bu her zaman ele geçmeyecek bir fırsat. O kız kesinlikle bir tıktıkçı değil. Bir tıktıkçının seni seçmesini istemezsin, öyle değil mi?"

"Şu anda mutlu ve huzurluyum. Bu kapta olmayı, senin yanında oturup camın dışındakiler hakkında konuşmayı seviyorum." Bakışlarımı bir yaşlı kurbağaya, bir küçük kızın ışıkta parlayan yüzüne çeviriyordum. "Onunla gitmek istemiyorum" dedim.

Sessizce bana baktı. Bakışları kararmış gibiydi. Oldukça kızgın görünüyordu. "İşte" dedi, "bazen karar vermekte zorlandığımız zaman, bizim için karar verecek birine ihtiyacımız olur." Hızla çırpındı. Arka bacağıyla, kıçıma hızlı bir tekme kondurdu.

Gürültülü bir sesle baş aşağı havuza düştüm. Nilüfer yaprağına çıkabilmek için çabaladım. Sonra sırt üstü yatıp, sanki minyatür bir fıskiyeymiş gibi ağzımdan su fışkırttım. Dönüp yaşlı kurbağaya baktım, pis pis sırıtıyordu.

Küçük kız hemen debelendiğimi ve su fışkırttığımı fark etti. "Ah... Seni şaşkın küçük kurbağa" dedi.

Kızın sesi beni şaşırtmıştı. Şelalenin damlama sesi gibi sıcak ve baştan çıkartıcıydı.

Birdenbire oldukça yoğun bir utanma duygusuna kapıldım, nilüfer yaprağında olduğumun, suda yüzdüğümün, cam tarafından çevrelendiğimin, dışarıdan birisi tarafından seyredildiğimin gayet iyi farkındaydım. İki tokmağımı da vücudumun altına sakladım. Nefesimi tuttum, biraz hava aldım ve kendimi şişirdim.

O, düşünmeye çalıştığım, hiç bitmeyecekmiş gibi gelen kısa zaman diliminin bir yerlerinde, küçük kızın ayakları kaptan uzaklaşır uzaklaşmaz, kaybolup gidecekmiş gibi geldi bu fırsat. Bu karar çok büyük bir değişiklik yaratmayacaktı onun hayatında. Benim açımdan bakıldığındaysa, onun seçimi benim geleceğimdi.

Biraz daha düşünmeye devam ettim, sonra daha da şişirdim kendimi, bir nilüfer yaprağı üzerinde yüzerken, olabildiğince büyük ve heybetli görünebilmek için. Beni al, beni al. Sana ne kadar iyi böcek yakalayabildiğimi, zıplayıp taklalar atabildiğimi ve suyun dibine balıklama yüzebildiğimi göstereceğim. Dünyanın en iyi evcil hayvanı olacağım. Bunları düşünürken yapraktan kaydım ve olabilecek en berbat bir şekilde debelenerek suya düştüm.

"Baba şunu istiyorum, oradakini, şu su sıçratanı. Çok komik bir şey." Kalbim yerinden çıkacakmış gibi atmaya başladı. "Biraz küçük ama çok şeker ve biraz da utangaç, benim gibi."

Babası kızın yanına çömeldi. Adamın ince, düzgün bir yüzü, sivri bir burnu ve parlak gözleri vardı. Başını yana eğdi ve bana aptal aptal sırıttı. "Çok iyi bir seçim Caroline. Neden kendini tanıtmıyorsun ona? Gidip bize yardımcı olacak birini bulayım."

Kız alnını cama dayayıp, sanki eski bir arkadaşıymışım gibi konuşmaya başladı benimle. "Sen benim sekizinci doğum günü hediyemsin. Kendi akvaryumun olacak. İçinde hiç balık olmadığı halde akvaryum demeyi seviyorum ona. Kırmızı balıklarım vardı ama bir tür enfeksiyon kaptılar. Yine de hepsi hâlâ benimle birlikte. Teker teker hepsi öldüğü zaman, küçük, plastik bir kaba biraz su ve ölü balığı koyup dondurdum. Bir sonraki de öldüğü zaman, biraz daha su ekleyip balığı koyuyor ve onu da donduruyordum. Üst üste hepsi donana kadar bunu yapmaya devam ettim. Şimdi istediğim zaman görebiliyorum balıklarımı."

Korkunç bir şeydi bu! Aniden ortaya çıkan kendimi gösterme ve buradaki en iyi kurbağa gibi görünme merakım, hızla endişe, korku ve en derin deliğe saklanma arzusuna dönüştü. Havuzdan çıktım ve yaşlı kurbağanın yanına döndüm. "Sakla beni" dedim çıldırmış gibi bir ses tonuyla. "Sakla beni. Gitmek istemiyorum."

"Dinle" dedi. "Onunla gitmelisin. Sana iyi bakacaktır. Hayatın boyunca burada kalamazsın. Ayrıca, seçilmeyen kurbağalara ne yaptıklarını biliyor musun?"

Başımı salladım. Yaşlı kurbağa komşumuza doğru baktı. "Anladın mı?" dedi. "Doğruca Bay Yılan'ın yanına."

Güçlükle yutkundum. Sırıtarak ve sanki avını arayan bir hayvanmış gibi ağını sallayarak, kocaman adam yaklaştı.

"Caroline" dedi kızın babası, "hangisini istediğini göster."

Kız beni işaret etti. İyice çömeldim ve bir kayanın altına doğru olabildiğince uzaklaştım. Ağ suyun içine daldı ve burnumun dibinde hışırdamaya başladı. Öyle uysal bir biçimde ve isteyerek gitmeyecektim. Birdenbire başka bir kurbağa havuza atladı. Ağ beni ıskalayıp onu yakaladı.

Yine de rahatsız oldum. Çok üzgündüm. Fırsatı kaçırdıktan sonra ne kaybettiğimin farkına vardım. O kurbağayı değil beni istemişti. Bu şekilde arzu edilmek, sonra yanlışlıkla terk edilmek ve unutulmak... Daha önce hiç hissetmediğim şekilde incitti beni.

Kimse hiçbir şey söylemedi. Adam kurbağayı plastik bir poşete koyup uzaklaşmaya başladı. Caroline'in babası yürümesi için işaret etti. Fakat Caroline kımıldamadı. Ne olduğunu anlamıştı. Yaşlı kurbağaya baktım. Yüzünde kararlı bir ifade vardı. Ayağını dengeledi beni cesaretlendirmek için, fakat artık buna gerek yoktu. Saklandığım yerden sürünerek çıktım.

Kız bana baktı, sonra "Afedersiniz" dedi, duraklayan ama güvenli bir ses tonuyla. "İstediğim kurbağa bu değil. Şunu istiyorum." Dimdik durdu, elini uzatarak, tam beni işaret etti. İki adam da döndüler.

"Tamam. Afedersin." Koca adam yanlış kurbağayı tekrar kaba koydu ve ağını benim önüme daldırdı. Yaşlı kurbağaya döndüm. Yavaşça göz kırptı ve "Senin için en iyisi bu" dedi.

"Belki. Peki ya sen?" diye sordum sesim titreyerek.

"Benim için de en iyisi bu. Ben yaşlı bir kurbağayım. Küçük kızlar bana göre değil. Hâlâ vahşiyim hem. Daha farklı bir şeylere ihtiyacım var."

Gözümden bir damla yaş geldi. "Senin için bu dünyadaki her şeyin en iyisini dilerim" dedim. Sonra ağın içine zıpladım ve yukarı kaldırıldım.

8

Gördüklerime inanamıyordum. Dışarıda olmanın ne demek olabileceğini asla düşünemezdim. Açık alan tüm yönlere doğru sonsuza dek uzayıp gidiyordu. Yukarıda şekilsizce boyanmış mavilerin ve dalgalanan beyazların, aşağıdaki gür ve yeşil dallara karıştığı bir manzara vardı. Etrafımda binaların sert açılı kenarları, rengarenk arabalar ve kamyonlar vardı. Altımda sarı şeritli siyah caddeler, insanların gezinti yaptığı, birbirleriyle sohbet ettiği, tasmalı köpekleri ve pusetlerdeki küçük çocukları gezdirdiği kaldırımlar vardı. Uzaklarda yeşil, çekici çimenlerin ve sık ağaçlıkların oluşturduğu parkları görebiliyordum. Her şeyi görmek istiyordum. Tek bir görüntüyü bile kaçırmamak için fırıl fırıl dönüyordum. Dışarıdaki dünyaya zıplamak istiyordum.

"Sakinleş kurbağacık" dedi Caroline. "Ev çok yakın." Şeffaf plastik torbayı kucağına koydu. Araba hareket etti.

Eve geldiğimizde beni yukarıya, odasına taşıdı. Torbayı yatağının başına koydu ve yavaşça döndü. "Burası senin yeni evin."

Oda geniş ve rahatlatıcıydı. Duvarlarda, beyaz-pembe çerçeveli birkaç hayvan resmi ve kumaştan yapılmış bir dart tahtası asılıydı. Odanın köşesinde, üzerinde birkaç kağıt ve bir küre olan beyaz bir masa, masanın dayandığı duvardaki raflarda kitaplar ve birkaç sıra içi doldurulmuş hayvan vardı. Yatağın ucundan koca bir kurbağa sıçraması uzaklığında ise önündeki geniş bir çıkıntıda güzel bir kap olan bir pencere.

"İşte bu senin akvaryumun." Poşeti içine sokup beni nazikçe içine bıraktı.

Yavaşça suya indim ve çekinerek etrafıma bakındım. Üzerinde baloncuklar olan bir havuza doğru gittim, yüzerek içine süzüldüm. Kabın diğer ucundaki üzerinde birkaç bitki olan kuru toprağı görebiliyordum. Büyük kahverengimsi kayalar ve pürüzsüz, yosun kaplı, suda yüzen bir tahta parçası vardı. "Saklanmana gerek yok" dedi. "Bunların hepsi senin." Gölgeliklerden birini açıp pencereyi yukarıdan araladı. Ilık bir hava dalgası odaya ve kabın yüzeyine doğru esti.

"Umarım burayı seversin" dedi. "Şu anda biraz karanlık, ama sabah arka bahçemizin kenarındaki küçük göle bakmak çok hoşuna gidecek."

Havuzdan çıkıp büyük bir kayaya tırmandım. Camdan görünen manzara muhteşemdi. O dakikada, tüm dünya görüşümün bir cırcır böceğinin kafasından daha büyük olmadığını fark ettim. Göl denince, farklı saklanma yerleri dışında hiçbir şey gelmezdi aklıma, fakat şu anda o kadar yüksekteydim ki her şeyi bir bakışta görebiliyordum. Suyun yüzeyinde yumuşak sarı ışıklar yansıyor, ağaçların gölgeleri şekiller oluşturuyordu. Gölün etrafı sık çimenlerle kaplıydı. Gölün bir şeklinin, etrafında sınırlarının olduğunu ve yüzeyinin cam gibi pürüzsüz olduğunu daha önce hiç düşünemezdim.

"Ben de severim gölü" dedi. "Belki bir gün sana gösteririm."

Ötüşen birkaç cırcır böceğinin iştah kabartan seslerini ve daha uzaktaki vraklama seslerini duyabiliyordum. Pencerenin yakınındaki uzun bir ağacın üst dallarına baktım, uçuşan ve yaprakların üzerinde parıldayan böcekler gördüm. Dört bir yana zıplayarak yeni kabımın her bir köşesini keşfettim. Su sıçratarak havuza daldım. Büyük kayaların tepesine çıktım ve kendime ait bir krallığım varmış gibi sevindim. Hepsinin sadece benim olduğuna inanamıyordum.

"Sanırım burayı sevdi." Caroline babasına döndü ve ona sarıldı.

Babası eğilip içeriye baktı. "Zıplamayı gerçekten çok seviyor" dedi. Eğilerek yüzünü kabın kenarına doğru yaklaştırdı ve gülümsedi. Beni her açıdan görebilmek için yer değiştirdi. Yüzü cama çok yaklaştı. Gülümsemesi kayboldu. Kaşlarını çattı ve şaşı baktı. Sonra kafasını kaldırdı. "Caroline, sanırım bir sorunumuz var."

"Ne?"

"Bir bacağı eksik. Bak!" Bacağımı işaret etti. "Ucunda sadece bir tokmak var."

Titremeye başladım. Bu kadar coşkuya kapılınca, zırhımı indirmiştim. Biri izlediği zaman hiç böyle serbestçe hareket etmemiştim hayatımda. Zıplamayı kesip hareketsiz kaldım. Bacaklarımı vücudumun altına doğru kıvırdım.

"Haklısın baba." Caroline'in kaşları kalktı ve gözleri kocaman açıldı. "Bak baba, arka ayaklarından biri de yok!"

Eğilip başlarını kabın seviyesine getirdiler ve seyrettiler; küçük kız omuz silkiyor, babası kafasını kaşıyordu. Camdan dışarı baktım. Eğer beni istemiyorlarsa, buzluğa balıklarının yanına koymak yerine, dışarı gitmeme izin vermelerini diledim.

"Bunu geri götürüp, dört bacağı olan başka bir tane alalım" dedi babası. "Mağaza bir saat daha açık. Değiştireceklerinden eminim, ama yine de karar senin Caroline."

Küçük kız olduğu yerde bana bakarak kaldı. Dönüp ona baktım. Beni incelemeyi bıraktı. Durdu. Derin derin düşünüyordu. O anda, sözlerinin çok büyük önemi vardı.

Peki ben ne yapardım, birinin hayatı benim vereceğim kararlara bu kadar bağlı olsa? Ya dünya tersine dönse de o, kabın içinde olsa ve benim böyle hayatî kararlar verme şansım olsa? Bu ihtimal oldukça ürkütücü, hatta dehşet verici. Gel gör ki hayat böyle değil. İçeride olan bendim. Öylece durmak dışında yapabileceğim hiçbir şey yoktu. Dev bir sıçrama, başarısız bir zıplama yapmaya kalkışamazdım. Sadece öylece oturup biri önde, biri arkada iki eksik bacağı olan bir kurbağa olmaya devam edebilirdim. Onun bir seçim yapmasını bekle-mekten başka, hiçbir şey yapamazdım.

"Onu geri götüremeyiz" dedi. Sesinde beklenmedik bir tutku ve anlayış vardı. "Başka kim iki bacaklı bir kurbağa ister ki? Ona bakmak zorundayız. Onu bu haliyle istiyorum."

Kararı üzerinde daha fazla düşünmedi.

9

"Bütün evcil hayvanların bir isime ihtiyacı var ve bu benim kurbağam için de geçerli." Caroline kollarını kavuşturdu ve yürüyerek babasının etrafında daire çizmeye başladı. Babası durup kızını izledi, onun da kolları bağlıydı. "Eğer ona bakacaksak" dedi Caroline "ona kurbağa, kurbağacık ya da bunun gibi bir şey diyemeyiz."

"Doğru, ama..."

"Öyleyse" dedi Caroline "iyi bir isim düşünmeliyiz."

"Bu akşam bulmak zorunda değiliz" dedi babası, Caroline yanından geçerken "kurbağanı daha yakından tanımaya çalış, böylece isim bulmak daha kolay olur."

"Hayır... hayır. Şu anda ona bir isim bulmam gerekiyor, yatmadan önce."

"Şimdi mi?"

"Evet baba, şimdi."

"Koyduğun isim yarın hoşuna gitmeyebilir. Bu kadar yorgun olmadığımız bir zaman düşünelim."

"Anlamıyorsun. Ona bir isim verene kadar uyuyamayacağım. Bütün gece uyanık kalmamı mı istiyorsun?" Durdu, babasına bakarak kollarını aşağıya indirdi.

"Caroline... " diye homurdandı babası.

"Biriyle tanıştığın zaman ilk sorduğun şey ismidir" dedi, konuşurken söylediklerini iyice anlatabilmek için kollarının hareket ettirerek. "Sen Babasın, Annem Anne ve Beth de Beth, köpeğim Nick, öğretmenim Bayan Floot, komşumuz Bill ve köpeği de Juneau."

"Caroline, artık..."

"Bu insanların ve hayvanların isimlerini bilmeseydim, şöyle şeyler söylemem gerekirdi: caddenin karşısındaki beyaz evde, ikinci katta oturan adama ait köpek. Ayrıca bütün oyuncak hayvanlarımın da isimleri var. Gerçek bir hayvanın isminin olmaması hoş değil."

"Ne kadar sürecek bu?" diye söylendi babası.

"Bilmiyorum. Gerektiği kadar."

"Bakalım on beş dakikada halledebilecek miyiz. Tamam mı?"

"Tamam."

"İtiraf edeyim" dedi babası" annenle senin ismini doğduğun ilk gün koymuştuk."

"Gördün mü?" dedi Caroline zafer dolu bir ifadeyle, "yetişkinlerin bile isim koymaya ihtiyaçları vardır! Söylesene baba, ne iyi bir isim olurdu?"

"Hıım... biraz düşünmem lâzım... Martin, Soren ya da Jean gibi bir isme ne dersin? Fyodor nasıl?"

"Ciddi ol." Suratını buruşturdu ve sert sert kafasını salladı. "Ne biçim isimler bunlar? Tuhaf bir isim istemiyorum."

"Basit bir isme ne dersin, mesela Tom gibi?"

"Tom diye kurbağa ismi olur mu hiç? Kedi mi o. Özel bir isim istiyorum, başka hiçbir kurbağada olmayan. Kimsenin unutamayacağı bir isim."

"Hımmm... O zaman ona Eksik Parçalar de." Babası bunu söylerken güldü, sonra başka isimler sıralamaya devam etti.

"Bir dakika baba, az önce söylediğine dön."

"Eksik Parçalar" diye tekrar etti adam.

"İşte bu." Yavaşça tekrar söyledi, "E-k-s-i-k P-a-r-ç-a-l-a-r. Ne komik bir isim. Sevdim. Ayrıca çok da doğru. İyi bir isim bu, çünkü onun hakkında bir şeyler anlatıyor."

"Caroline, şaka yapıyordum. Gerçekten kurbağana Eksik Parçalar mı demek istiyordun?"

"Baba, sen en iyi isimleri bulursun! Gizli bir ajan ya da ihtiyaç duyulan bir yap boz parçasıymış gibi geliyor kulağa. Belki de o, hazine avı oyununun çözümüdür. Küçük kız kolunu alnına götürdü, gözlerini kıstı. "Eksik parçaları bulmalıyız" dedi kötü bir ses tonuyla.

Ellerini gözlerine siper ederek eğilip yerde bir şeyler arıyormuş gibi yaptı. Birdenbire doğrulup kolunu havaya kaldırdı ve zafer dolu bir sesle "İşte buldum kayıp parçaları. Artık zenginim!" diye bağırdı.

"Artık gerçekten yatma vakti geliyor."

"Baba, cidden ona kısaca EP diyelim. Sadece iki harf E. ve P. Böylece hiç kimse onun gizli ismini bilmeyecek, tabi biz söylemezsek."

"EP... EP" dedi babası. "Hoşuma gitti. Tamam, adı EP, Eksik Parçalar'ın kısaltması. Hadi bakalım, şimdi yatma zamanı."

"Şimdi hazırım!" Caroline sıçradı, kollarını uzattı ve yüzüstü yatağa düştü.

Bir ismim vardı. İnsanlar ismimi bildikleri ve söyledikleri sürece, ben görünmesem de beni hatırlayabilir, tanıyabilir ve hakkımda konuşabilirler. Tek bir kelimeyle birilerinin aklında yer alabilirim.

Ne kadar da ayrıcalıklı ve güçlü bir isimdi Eksik Parçalar. Bu ses beni çağrıştırıyordu ve doğruydu. Artık hiçbir şeyimi saklamak zorunda değildim. Özgürce hareket edebilirdim. İki bacağı olan bir kurbağaydım, eksik parçaları olan bir kurbağa. İsim gizemliydi de aynı zamanda, sanki bir şeyler kayıp, yanlış yerde ya da unutulmuş gibi. Ne olduğunu kim bilebilirdi ki neyin kaybolduğunu ya da bulunup bulunamayacağını?

Bir çöldeki yalnız bir ağaç gibi duruyordu bu günün coşkusu ve mutluluğu. Tüyler ürperten bir macera, çılgınca bir coşku ve önemli bir buluşun günüydü bu gün; korku ve hüzünden kahkaha ve neşeye yolculuğun. Bu günü tekrar tekrar yaşamak istiyordum.

10

Caroline, sadece su ve yiyecek ihtiyacımı karşılayan bir bakıcıdan çok daha fazlasıydı. Bana karşı nazik ve ilgiliydi, bazen de beni cesur ve gösterişli olma konusunda cesaretlendiriyordu. Zıplamalarıma *ahh* ve *ooh* diyor ve sadece iki bacakla bu kadar çevik olabilmeme hayret ediyordu. Ne kadar iyi zıplayabildiğimi ona gösterme çabasıyla, genellikle kayıyor ya da yanlışlıkla bir şeye çarpıyordum. O zaman, utanç verici durumum karşısında, gayet yumuşak ve ilgili bir sesle iyi olup olmadığımı sorardı. Kollarını vücuduna yaklaştırır ve neredeyse sanki kendisi düşmüş ve incinmiş gibi kıvranırdı.

Sabahları gün ışığı odasını aydınlatıp kabımın iki yanından içeriye uzandığı zaman, uyanır ve büyük bir coşkuyla beni selamlardı. Vraklamadan oluşan cevabımı en ince ayrıntısına kadar duyabilmek için genellikle beni kaldırıp kulağına yaklaştırarak gece rüya görüp görmediğimi sorardı. Ona, tepesine çıktığım pırıl pırıl şelâleyi, kaygan yosunun nasıl da en tepeye tırmanmamı zorlaştırdığını, nasıl kayıp durgun havuza düştüğümü ve sonra uçurumun ağzına kadar yüzüp, şelaleden aşağıya salto yaptığımı, gürüldeyen ve köpüklü suya daldığımı anlatırdım. O da bana, anne ve babası uykudayken, gecenin koyu sessizliğinde, bir fırtınanın evlerini temelinden söktüğünü, sonra bir rüzgar bulutunun, tüm parçaları gökyüzünün en tepesine taşıyıp, mucizevi bir girdapta onları birleştirip, bu yeniden oluşturulmuş evi nazikçe, göl kenarında bir çayıra kondurduğunu anlatırdı.

Konuşma ve vraklamalarımız, tutku ve coşkuyla, bir sürü sapması olan bağlantısız konular, gerilim ve drama yüklü senaryolar, anlam yüklü basit kelimeler şeklinde, devam ederdi. Nadiren anlardık birbirimizi, dünyalarımız o kadar farklıydı ki. Yine de bir ceviz ağacının köklerini toprağa bağlayan şey gibi bizi birbirimize yaklaştıran bir şey vardı. İkimiz de bir kabın içindeydik, sadece bir kereliğine dışarıdan içeriye bakmanın nasıl bir şey olacağını merak ederek, sürekli dışarıya bakıyorduk.

Herhangi bir karışıklık ya da anlam kayması olmaksızın, hakkında konuşabildiğimiz tek şey cırcır böcekleriydi. Caroline haftada bir, plastik bir poşet içinde, taze ve canlı bir yığın böcekle çıkagelirdi. Onları, zıplayıp marul ve kraker yediklerini görebileceğim, kabımın yanındaki özel bir kafese koyardı.

Sırf bu hoplayan zıplayan, cırcır böceklerini yemeyi beklemek bile en heyecan verici düşüncelerimden biriydi. En büyük böcekler en yavaş ve zor yutulanlardı, fakat en lezzetlileriydi. Küçük olanlarsa sürekli zıpladıkları için, onları yakalamak ve sindirmek kolaydı, fakat ilk ısırıktan sonra fazla yumuşaktılar. Benim favorilerim hızlı ve akıllı böceklerdi; onlar hem gevrek ve lezzetliydi, hem de takip etmesi ve yakalaması en zevkli olanlardı.

Birkaç günde bir, Caroline lastik eldiven ve gözlük takar, kafesten üç dört lezzetli böcek çıkarmak için uzun plastik cımbızlar kullanırdı. Her birini dikkatle aldıktan sonra, kaşlarını çatar, çekingen bir ifadeyle cımbızın ucuna bakar, ekşimiş suratını başka tarafa çevirirdi. Böceği kendinden olabildiğince uzak tutar ve hayvanın her hareket edişinde, yüzünü buruşturudu.

Caroline'in neden böyle davrandığını anlayamazdım, fakat görünen oydu ki, yaptığı kolay bir iş değildi. Bütün böcekler benim tarafa aktarıldıktan sonra, Caroline hızla kabımın üzerine bir kapak örter, eldivenleri ve gözlüğü yere fırlatır ve sanki işin zorluğu onu yormuşçasına yatağa devrilirdi.

Böcekler gelir gelmez onları avlamak istesem de hayvanlar yerleşene kadar beklemek zorunda kalırdım. Ani yer değişiklikleri daima böceklerin amaçsızca zıplamalarına, düşmelerine, kayaların üzerine oturmalarına ya da sevinçle suya atlayıp boğulmalarına neden olur ki bu da büyük bir hayal kırıklığıdır benim açımdan, çünkü ne kadar aç olursam olayım, asla ölmüş bir böcek yiyemem.

İlk andaki karışıklık durulduktan sonra, lezzetli bir böceğin hareket etmesini beklerim, sonra avımı sinsice ve büyük bir dikkatle planlamaya başlarım. Hareket eden bir böcek görmem, onu yakalayabileceğim anlamına gelmez. Böcekler çok zeki olmadıkları halde biz kurbağalardan çok güzel gizlenebilirler; hareketsiz kaldıkları zaman onları bir kayadan ayırt etmek mümkün değildir. Bir cırcır böceği, burnumdan bir santimetre uzakta oturabilir ama eğer hareketsizse, adeta görünmez olduğunu söyleyebilirim.

Onları yakalamak için, kabımın merkezine yakın bir yerde, iyi manzarası olan rahat bir yer bulurum. En küçük bir hareket gördüğümde, ona doğru zıplarım. Bir sonraki hareketi görene kadar durup beklerim, sonra tekrar zıplarım. Bu oyuna "cırcır böceği kaç, kurbağa zıpla" adını verdim. Esas mesele, akıllı bir böcek yakalayabilmek için en az kaç zıplama gerçekleştireceğim olurdu. Çoğu böcek kıpırdamaya devam eder, yaklaştığımı unutarak. Yine de bu çevik, canlı ve zeki böcekler yakalanmaktan kurtulma konusunda oldukça beceriklidir. Ben yaklaşır yaklaşmaz, önce donar sonra birden zıplar, sonra yine durur ve gözden kaybolurlar. İçlerinden birini yakalamadaki başarım, ne kadar kararlı ve sabırlı olduğuma bağlıdır. Nihayet yakalama mesafesine ulaştığımda, en son zıplamamı yaparım. Bu bazen bütün günümü alır.

Su böceği kadar hızla dilini dışarı çıkarabilen ve avını yakalayabilen bazı kurbağalar ve kara kurbağaları dışında, benim gibileri dillerini hiç dışarı çıkaramazlar. Biz tüm vücudumuzla böceğin üzerine çullanmak ve ağızlarımız açık bir şekilde onları yakalamaya çalışmak zorundayız. Ben bir böcek yakaladığımda, ön bacaklarımı, hayvanın geri kalanını ağzıma tıkmak için kullanırım.

Böcekleri nasıl da yakalayıp yediğimi görünce Caroline büyülenmiş ve çok eğlenmişti. Bazen bana böceklerin nerede olduğunu söylerdi; bazen de onlara benim geldiğimi haber verirdi. O izlediği zaman, mutlaka daha da iyi bir gösteri sergilemeye çalışırdım.

Bir keresinde, kabımın ortasında bir kayaya tüneyip oturmuşken diğer uçtaki bir böceğin hareket ettiğini fark edebildiğimi gözlemlemişti. "Gözlerin başının ön kısmında değil de yanlarında olduğu için çok şanslısın" demişti bana. "Ben senin gibi görebilseydim, hiç kimse arkamdan gizlice iş çeviremezdi." Bir dakika sonra, burnuna dayadığı ve arka arkaya koyduğu iki aynayla dolaşıyordu odada. "Bak" diye seslendi, "dünyayı tıpkı senin gibi görebiliyorum."

11

Caroline'in babası, başını kabın içine eğip de burnunu çekerek kokladığı zaman, temizlik gününün geldiğini anlardım. "Burası biraz kötü kokuyor" derdi. "Öğütülmüş ve boğulmuş böcekleri temizleme zamanı geldi."

Bu sözleri duyduğum zaman, büyük bir sevinçle beklerdim. Caroline ve babası ağı önüme tutardı, ben de hemen içine atlardım. Onlar kabımı temizlerlerken geçici evim kocaman, beyaz ve kenarları kaygan bir banyo küveti olurdu.

En sevdiğim aktivitelerden biri, vücudumu yan döndürerek arka ayağımla kayıp, dışarıda ve hiçbir sınır olmadan zıpladığımı hayal ederek, küvetin bir ucundan başlayıp olabildiğince uzağa atlamaktı. Yukarıya doğru, küvetin dik, beyaz kenarlarından tırmanmaya çalışır, dipteki suyun içine düşerdim. Caroline kıkırdayarak, gülerdi, sonra da ne kadar cesur ve güçlü olduğumu söyleyerek beni neşelendirirdi.

"Sen bir prens ya da belki de asil bir şövalye olmalısın, böyle atlayabildiğine göre. Hem de sadece iki bacakla... çok ilginç!" derdi. Küvetin başında diz çöküp, babası nihayet seslenene kadar seyreder ve konuşurdu.

"Akvaryumu temizleyelim, EP ile sonra oynarsın."

Caroline babasını duymazlıktan geldi ve benimle konuşmaya devam etti.

"Caroline" dedi babası. "Bekliyorum... "

Caroline, babasının kabımı, lavabonun yanındaki tezgaha koyuşunu seyretti. Babası, kaba birkaç kova su koydu. Uzun bir çubuğun ucuyla kayaları yerinden oynattıkça, kalıntılar ve pislikler yüzeye çıkmaya başladı. Babasının böcek parçalarını ayıklamasına Caroline tiksinerek baktı.

"Al şu ağı Caroline. Şunları çıkarma sırası sende."

"Iığğğ! Baba. Benim EP ile oynamam gerekiyor."

"Caroline... Bana akvaryumu temizlememe yardım edeceğini söylemiştin. Sıra sende. EP küvette tek başına gayet mutlu."

"Yardım ediyorum baba. Kurbağama bakıyorum. Sen kabı temizlemeyi seviyorsun ve EP ile oynamayı sevmiyorsun. Ben de EP ile oynamayı seviyorum ve kabı temizlemeyi sevmiyorum. Öyleyse ikimiz de sevdiğimiz şeyleri yapalım. Olur mu?"

Babası iç çekti.

"Bir dahaki sefere yardım etmek zorundasın. Tamam mı?"

"Tamam!" dedi. "EP ve ben piknik yapacağız."

Bu Caroline'in en sevdiği hobilerinden biriydi, benim de öyle. Banyoda yere kırmızı beyaz kareli bir örtü yayar, üzerine tabak, çatal bıçak ve kurabiyeler koyardı. Bir de büyük, şeffaf bir kase olurdu. Üst üste konmuş birkaç kitabın üzerine koyduğu için taht gibi yüksekte dururdu. Sonra masa örtüsünün etrafına arkadaşlarını oturturdu. Tespih böceği Dilly, açık mavi ve gri koala Kerry, benekli ve saçaklı kulakları olan Dalmaçyalı ve en sevdiği hayvanı, boynunda mavi beyaz puantiyeli bir kurdele olan açık kahverengi oyuncak ayı Brownie olurdu.

Herkes oturduktan sonra onur konuğunun az sonra geleceğini duyurur ve herkesin çok terbiyeli olmasını söylerdi. "Dik oturun ve o yemeğe başlamadan, sakın başlamayın" diye uyarırdı onları.

Beni küvetten çıkarıp nazikçe cam kasenin içine koydu. "Kurbağa krallığının şövalyesine bakın" dedi kıkırdayarak. "Bütün organları tam olmayabilir, fakat eksiksiz bir beyni var ve nasıl hakimiyet kuracağını çok iyi biliyor. Benekli derisinin altında, benzersiz bir kurbağa yatıyor."

Herkes mutluydu ve gülümsüyordu. İlgi odağı olmaktan dolayı ürküyordum; baba, temizlikçi kahyam, Caroline, sevgili prensesim. Dört bir yana bakındım, sanki dışarıdaki tüm maceralar sadece bir zıplama mesafesindeymiş gibiydi. Aşağıya bakarken ve ayaklarımın altında serilen dünyadaki olayları izlerken Caroline birkaç tane böcek atar ve festival başlardı.

12

Üşümediğim, terlemediğim, karnımın tok olduğu ya da etraftan garip sesler gelmediği zaman gerçekten mutlu ve huzurlu olurum. Güneşin sıcaklığını sırtımda hissettiğim zaman çok kolay uykuya dalırım. İşte bu zamanlarda fark etmeden günler geçip gider.

Böcekler geciktiğinde ve midem boş olduğunda, yüksek sesler vücudumda yankılandığında, hava çok sıcak ya da soğuk olduğunda, sert bir kenara çarptığımda, bir düşünce derime batan beklenmedik bir diken gibi beynimi deldiğinde; işte bu zamanlarda mutsuz ve huzursuz olurum. Acının bitmesini isterim. Hızlı ve acil bir tedavi beklerim. Fakat hayat, iğnesini boş yere batırmaz hiçbir zaman. Canım acıdığında durup düşünmem gerekir.

Caroline ve benden daha eski bir arkadaşı olan Beth yüksek sesle konuşurlar ve merdivenlerden başlayıp yatak odasına kadar gelen son derece gürültülü ayak sesleri çıkarırlardı.

Birlikte oldukları zaman, etraftaki herşeyden soyutlanarak oynarlardı, sanki hiç kimse onları eğlencelerinden alıkoyamazmış gibi farklı kıyafetler giyme oyunu oynar, diş macunundan kendilerine makyaj yapar ya da bir çubuğun ucuna ekmek bağlayıp yatak odasının camından sarkıtarak sincap avlarlardı. Bazı abuk sabuk davranışlarından kendimi sakınsam da onları seyretmeyi severdim.

Kızlar kabıma yaklaştılar.

"Kurbağama bak" dedi Caroline. "Onunla oynamak ister misin?"

Beth çömeldi, koyu renk, omuz hizasındaki saçlarını geriye iterek içeriye doğru baktı. "Ne yapacağız ki kurbağayla?"

"Ona böcek verebiliriz. Onu yerken seyretmek gerçekten çok eğlenceli."

"Sonra?" diye sordu Beth, beni seyretmeye devam ederek.

"Onu banyo küvetine koyarız ve zıplamasını seyrederiz."

"Hımm... eğlenceli gibi görünüyor" dedi Beth, kurnazca gülerek. "Böcekler nerede?"

Caroline böcek kafesini işaret etti.

Beth kapağı açıp başparmağı ve işaret parmağıyla bir böcek aldı. Sonra kabımın kapağını kaldırdı ve üzerime attı, böcek sırtıma geldi.

"Kaçırdı. Bir tane daha gerekiyor." Bir tane daha böcek alıp üzerine tükürdü. "Bu yapışmasını sağlayacaktır" dedi böcek mermisi iki gözümün ortasına isabet ettiği sırada.

İkisi de güldüler.

"Sanırım şu anda pek aç değil" dedi Beth.

"Banyoya götürelim onu" diye öneride bulundu Caroline. "Kabını temizlediğimizi söyleriz. Ne kadar uzağa zıplayabildiğini görmek çok eğlenceli."

Caroline ağı aldı ve beni içine sokmak için hışırdatmaya başladı. Hareket etmedim. Ağı tam önüme getirdi ve parmağıyla beni içine itti. Ağı kafasının üzerinde tutarak beni koridor boyunca taşıdı ve banyoya götürdü. "Kral geliyor" diye ilan etti kıkırdayarak.

Beth onu takip etti, gülmekten yerlere yatarak. "Şşş... Caroline. Baban bizi duymasın. Kapıyı kapatayım."

Caroline beni küvete bıraktı. Ayaklarımın üzerine düşmek istedim fakat sersemlemiş bir şekilde yana düştüm. Daha önce bana hiç böyle davranmamıştı. Kızgındım ve üzülmüştüm. Yardım çağırmak, bağırmak istedim. Sol bacağımın tokmağıyla birine yumruk atmak istiyordum. Ağlamak istiyordum. Babasının yukarı çıkıp onu durdurmasını istiyordum.

Caroline küvetin üzerindeki metal kola uzandı. Musluğu çevirirken çıkan gacır gucur seslerden ürktüm. Musluktan su akmaya başladı. "Sana nasıl yüzebildiğini göstereceğim" dedi.

Küvetin dibinden çağlayıp akan ve beni sular altında bırakan vahşi şelaleden kurtulmak için çıldırmış gibi zıplıyordum. Nereye gittiğimi düşünmeden, sadece oradan kaçabilmek için elimden geldiğince hızlı bir biçimde ayaklarımı çırpıyordum.

"Vay be, nasıl da gidiyor" dedi Beth.

Caroline başını salladı. "Hızlıdır o... ama yine de bu kadar su yeter."

"Tamam, birazcık daha" diye kandırdı Beth onu.

Musluktan akan suyun altında kaldığım zaman, küvetin dibine vurana kadar aşağıya inmiştim. Kısa bir süreliğine, suyun şiddetinden dolayı orada hareketsiz kaldım ta ki kenara sürüklenmeyi ve yüzeye çıkmayı başarana kadar. Hava almaya çalıştım. Ben balık değilim. Benim gibi kurbağalar boğulabilir.

"Kurbağan gerçekten çok komik" dedi Beth, eliyle suya şap şap vurup daha dibe batmamı seyrederken.

O tam bir *tıktıkçı*. Bana oyuncakmışım gibi davranıyor. Yorulmaya başladığımı görmüyorlar mı? Bu şekilde yüzmeye devam edemem. Onlar için bu bir eğlence olabilir, fakat sadece bir dakikalığına yerimde olsalardı, beni anlarlardı.

Ne kadar çırpınırsam, onlar da o kadar gülüyor ve eğleniyorlar. Ne zaman duracaklar? Babası ne zaman duyacak olanları? Babası Caroline'in benimle ilgilenmeyi unuttuğunu biliyor mu? Birinin gelip onları durdurmasını bekleyerek ayak çırpmaya devam ediyorum.

"Sanırım biraz daha suya ihtiyacı var." Beth küvete eğiliyor ve metal kola uzanıyor. Yeniden gıcırdama sesi. Daha fazla su akıyor. Bu akıntıya karşı artık yüzemeyeceğim. Tortop oluyorum ve bacaklarımı vücuduma doğru çekiyorum.

Kendimi yalnız hissediyorum, muazzam bir akıntının içinde yuvarlanıp duran bir hayat zerreciğiyim sadece ve küvetin içinde olmadığı halde sivri bir kenara çarpmaktan korkuyorum.

Beth musluğun altında elini sallıyor. "Su çok soğuk." Kolu diğer yöne çeviriyor. Yine gıcırdama sesi. Sıcak su akıyor. Gülme sesleri ve alaylı kahkahaları daha gürültülü ve taşkın bir hal alıyor.

Düşünebileceğim herşeyden daha fazla acı veren korkunç bir şey sarıyor beni. Herhangi bir yöne gitmemi engelleyen sivri iğneler sarıyor etrafımı. Sanki yanan sıcak metal mızraklar gibi binlerce iğne parçalıyor bedenimi. Artık yüzemiyorum. Bacaklarımı karnıma yakın tutamıyorum. Nefes almak için yüzeye doğru çırpınamıyorum. Hiçbir şey durdurmayacak onları. Kimse yardım etmeyecek bana. Ben de artık kendime yardım edemiyorum. Gözlerimi kapatıp dibe batıyorum. Zerre kadar umudum yok. Sadece bir dilek dileyebilirim; gerçek olmayacak bir dilek.

Hareketsiz kal.

Kafamda yankılanıyor bu sözler. *Hareketsiz* kal.

Dibe çökerken yaşlı kurbağanın sözleri geliyor aklıma. "Bazen çukurun en dibinde bir inci vardır. Azgın bir nehre düştüğün ve deli dalgaların etkisiyle bir uçtan bir uca savrulduğun zaman, av bulmaya çalışan, gözlerini her yerde gezdiren sivri dişli balıklar hemen yanı başında bittiği zaman, otlağı çevreleyen çimenler tutuştuğunda kaçacak yer yokken, işte o zaman hareketsiz olma zamanıdır, gözlem yapma, aklına gelen her türlü fikri değerlendirme ve sonra kararlı davranma zamanı."

Sürekli çarpan su ve kahkahalar belirsizleşmeye başlıyor. Vücudum *ben*'den ayrılmaya başlıyor, artık bedenim sağır oldu acıdan. Uzak ve unutulmuş geçmişime ait, bir şey yaşıyorum. Düşünmekle ve gözlemlemekle asla öğrenemeyeceğim bir şey.

Dönüp duran hareketsizliğimde, yüksek bir kaya kadar sivri ve uğursuz bir başka kenar görüyorum. Karnım; ateş karnımı. Bir anda hep farkında olduğum fakat hiç görmediğim, tıpkı sessiz bir gecede gökyüzünde ani bir şimşeğin çakması gibi, karanlıktaki bir ışık kıvılcımı gibi benzersizliğim açığa çıktı.

Biri bana yukarıdan ya da yandan baksa, kayaların ve bitkilerin arasında saklanmama yardım eden, siyah, ve kıvrımlı benekleri olan, açık yeşil bir kurbağa görürdü. Kamufle olan başka bir yanım da var oysa. Yeşil derili sırtımın altında, yere değen ve görünmeyen, üzerinde güneş lekesi gibi siyah lekeler olan parlak kırmızı bir karnım var. Kabıma bakan herkes karnımı fark edebilir, ama nasıl bir silaha dönüşebildiğini, bana yaklaşan bir saldırgana karşı nasıl bir uyarıcı haline gelebildiğini bilemezler.

İşte bu afacan yeşil kurbağa, işte bu ben, birden bire şişip şekil değiştirerek muhteşem kırmızı bir ateş topuna dönüşebiliyor. Bunu yaptığım zaman, zıplayarak kaçamam. Sadece hareketsiz kalabilirim. Karnımı gösterdiğim zaman şöyle bağırırım beni gören herkese: kaçın, geri çekilin, tam karşınızda duran şeye yaklaşmayın.

Şu anda düşman, küçük bir kız ve arkadaşı.

Kendinden emin olmanın verdiği cesaret ve kararlılıkla, sırt üstü yuvarlanıyorum, bacaklarımı uzatıyorum ve ağız dolusu nefes alıyorum. Vücudum şişmeye, şekil değiştirmeye ve parlamaya başlıyor. Hareketsiz yatıyorum, sırtım suyun yüzeyinde, karnım herkesin görebileceği şekilde açıkta; parlak, canlı ve muhteşem ateş karnım.

"Beth, bak!" Suyun akması kesiliyor. Caroline eliyle ağzını kapatıyor. Beth ağzını açıyor. Küvetin başında, yan yana durmuş beni seyrediyorlar.

"Bu o kurbağa mı?" diye soruyor Beth. "Pişirdik onu. Istakoz gibi oldu."

"Biz... " Caroline ağlamaya başlıyor. Ağıyla uzanıp kaskatı olmuş bedenimi suyun yüzeyinden alıyor. Beni lavabonun yanındaki tezgaha koyuyor.

"Eksik Parçalar'ı öldürdük" diye ağlıyor. "Bak. Patladı!" Tezgahın üzerinde yatıyorum, ayaklarım iyice uzanmış, parlak kırmızı karnım havaya kalkmış, buruşuk bir mantarın tepesi gibi şiş. Şeklim tamamen değişmiş durumda.

"Başımız belaya girer mi?" diye soruyor Beth.

"Kimin umurunda? Kurbağam öldü!"

"Bir tane daha alırız" dedi Beth. "Hepsi birbirine benziyor."

"Hiçbir kurbağa ona benzeyemez, asla. Evcil hayvan mağazasına gidip, başka bir kurbağa alıp tırnak makasıyla iki bacağını mı keseyim? Ha, Beth?"

"Ne oluyor?" babasının sesi gürlüyor alt kattan.

"EP öldü!" diye bağırdı Caroline, yüksek sesli hıçkırıklar takip ediyor bağırtısını.

Babası yukarıya koşuyor. Kapıdan dikkatle bakarak içeriye giriyor. Beth, yüzünde gergin bir gülümsemeyle kenarda duruyor. Lavabonun tezgahında bir kurbağa karnı havada; kırmızı karnı havada; pırıl pırıl parlayarak yatıyor.

Babası yavaşça yaklaşıp bana bakıyor. "*Bu* da ne?" diyor ne olduğunu anlamaya çalışarak.

"Bu EP mi?" diye soruyor, sesinden kafasının karıştığı anlaşılıyor.

Kızlar sessiz, çekinerek kafalarını sallıyorlar.

"Ne yaptınız siz, kızlar? Caroline, o bir canlı!" Öfkeyle kızına bakıyor.

"Özür dilerim. İsteyerek olmadı." Caroline yeniden ağlamaya başlıyor.

"Üzgünsün. Öyle mi? Neden yaptın bunu? Ne düşünüyordun ki?"

Bir Caroline'e, bir Beth'e bakıyor. Kızların ikisi de ağlıyor, baba onları sorguya çekiyor, azarlıyor.

Bunun bir süre, bu şekilde devam etmesine izin veriyorum. Benim de onlarla aynı havayı soluduğumu, aynı yerde yaşadığımı, bakıma ihtiyacım olduğunu, dikkatsiz bir hareketin beklenmedik sonuçlarının olabileceğini iyice öğrenmelerini istiyorum. Fakat bir şey daha var, sahip olduğum gücü hissetmek istiyorum. İçimde saklı duran şeyi ve neye dönüşebildiğimi anlamak istiyorum.

Birdenbire bütün ağlama sesleri, bağırtılar kesiliyor. Herkes derin bir nefes alıyor. Musluktan damlayan suyun sesi dışında hiç ses yok banyoda. Altı göz de dikkatle bana bakıyor. Karnım birdenbire iniyor. Yuvarlanıyorum ve tekrar benekli yeşil bir kurbağa oluyorum. Lavabonun kenarında zıplıyorum, dönüyorum ve ben de onlara bakıyorum. Yüzleri sanki biri midelerine yumruk atmış gibi solgun. Şaşkınlık. Hareketsizlik. İnanamama. Sessizlik. Sonra belli belirsiz bir fısıltı:

"Baba, sanırım yaşıyor."

Ateş Karın'ın anlamına dikkat edin lütfen!

II. Bölüm

1

Hayat pek çok köşeli kenarla dolu. Hayat bilinmeyene doğru muhteşem bir yolculuk, karanlık bir ormanın içinden geçen, çeldirici bir yol, bir ağacın dalları üzerindeki bir hareket alanı. Hayat bir yolculuk, dolambaçlı, herhangi bir tabela ya da uyarı olmadan kavisler çizen bir patika. Hayat bir kelebek, kendini kozasından kurtarmaya çalışan. Hayat... Asla söylemeyiz bunları, öyle değil mi? *Böyledir* hayat. Fiziksel, duyularımızla hissedebileceğimiz, bedenimizle içinde hareket edebileceğimiz bir şey olduğunu söyleriz hep. Elle tutulur, gözle görülür şeylere dönüştürür ve sonra özellikleri hakkında tartışırız. Sonsuz ihtimaller içinde kendimize bir yer edinebilmek için hayat hakkında konuşuruz. Fakat başaramayız. Hayatın gerçekte ne olduğunu söyleyemeyiz. Onun yerine, bu zaman tünelini tanımlamak için kullandığımız metaforlar ve benzetmeler vardır elimizde sadece.

Caroline ile uzun süre yaşadım. Mevsimler değişirken yapraklar muhteşem sarı, turuncu ve kırmızı tonlarına dönüşür, sonra dallarından toprağa dökülüp, rengârenk bir örtü oluştururlardı. Bu ihtişamlı manzaranın karşısında, vahşi doğada yaşamakla ilgili hayallere dalardım. Nasıl bir şeydi acaba yüzen bir yaprağa tırmanmak, rüzgarın keyfine göre, rastgele sürüklenmek, kızıl toprağa inmek, yere düşenlerin üzerine ayağımı basmak ve çimenlerin iskeletinde kendimi tartmak.

Kabımda rahatça uzanıp yattığım zaman bu tür düşünceler hemen kaybolup giderdi. Bu sıcacık evde hem rahattım, hem de dışarıyı görebiliyor ve duyabiliyordum. Yaprakların üzerindeki çiğlerin oluşumunu, karların yerleri kaplamasını, patencilerin soğuk buzun üzerinde kayışlarını, buzların eriyip çamura dönüşmesini. Böcek kümelerinin sığ su birikintilerinden havalanışını, ağaçlara konuşunu ve gün sona ermeden çiftleşmelerini izlerdim. Kelebeklerin kozalarından çıkışlarını, ıslak kanatlarını kuruyana dek çırpışlarını, meltemle beraber uçup gölün kenarındaki uzun bitkilerin üzerinde yanıp sönüşlerini görürdüm. Çocukların su sıçratıp gülmelerini, sazlıkların arasında yürümelerini, olta atıp küçük balıkları yakalamalarını seyrederdim. Bazen o kadar büyüleyici olurdu ki bu görüntüler, burnumun dibinde antenlerini hareket ettiren bir cırcır böceğini bile görmezden gelirdim.

Aynı zamanda, Caroline'in değişimini de gözlemliyordum. Tıpkı suyun etrafındaki sazlıklar gibi, yukarı doğru, hızlı bir biçimde büyümüştü. Artık gözlerine bakamıyordum. Odada gezindiği sırada, kollarının orta kısmını ve omzundan aşağıya dökülen saçlarının uçlarını görebiliyordum.

Artık kabımı tek başına temizliyor, hatta böcekleri bile çıplak elleriyle yakalıyordu. Eskiden okuldan ve arkadaşlarından çok az bahsederdi, fakat artık dış dünyayla ilgili düşüncelerini ve fikirlerini paylaşıyordu benimle. Ara sıra yanıma çömelip camdan dışarı bakıyor, onunla birlikte gölde yaşamak isteyip istemeyeceğimi soruyordu. "Bir gün seni dışarı çıkarayım, suda oynarsın. Ben de seninle yüzerim. İkimiz de özgür oluruz, birlikte, sadece sen ve ben." Ne saçma bir düşünce.

Dışarının güzelliğini, sertliğini ve entrikalarını görebiliyor, aynı zamanda içeride mutlu ve rahat olabiliyordum. Nemli kayaların üzerinde suyun serinliğini hissedebiliyor ve lezzetli, semiz böceklerin tadına bakabiliyordum. Beni önemseyen ve becerilerime hayran, muhteşem bir arkadaşla konuşabiliyordum. Bunlar beklediğimden çok daha öte şeylerdi; ta ki bir gün tesadüfen, kayıtsızlığımı derinden sarsacak bir şey duyana kadar.

"Asya! Neden oraya gitmek istiyorsun?" diye ısrarla sordu Caroline.

Babası yatağın üzerinde oturuyor, Caroline hızlı hızlı odada yürürken onunla konuşuyordu. "Her zaman istediğim... "

"Sen gidince kim ilgilenecek EP ile?" diye böldü Caroline.

"Onu vermek zorunda mı kalacağız? Onu geri vermek çok kötü olur. Sadece iki bacağı olan, şekilsiz bir kurbağa, kim ister ki onu?" Kaşlarını kaldırdı ve babasına baktı. "Gidemezsin... tamam mı?"

"Annende seninle birlikte kalabilir. Üçünüz güzel güzel yaşarsınız beraber."

"Peki kafesini kim temizleyecek?" Kollarını önünde kavuşturdu.

"Caroline... " Babası biraz homurdadı, ayağa kalktı, kızının başını öptü ve masasındaki küreyi eline aldı. "Nereye gidiyorum biliyor musun? Göstereyim sana." Küreyi ellerinin arasında hızla döndürdü ve kızına yanına oturması için işaret etti. "Gördün mü? Asya orada, öbür tarafta. Bütün bu alan." Eliyle kürenin üzerinde bir daire çizdi ve sonra bir yeri işaret etti. "Ama zamanımın çoğunu burada geçireceğim; Tibet'te."

"Hımm." Caroline küreyi babasının elinden aldı. İyice yüzüne yaklaştırdı ve elini üzerinde gezdirdi. "Çok çıkıntılı."

"Bir sürü dağ var orada. İçlerinde bazıları dünyanın en yüksek dağları ve hâlâ da büyümeye devam ediyorlar."

"Büyüyorlar mı?"

Başını salladı adam. "Yeryüzünün üst tabakasındaki dev katmanlar birbirini ittiriyor ve dağları, her yıl yaklaşık bir santimetre yukarı itiyor."

85

"Dağların büyümesini mi göreceksin?" diye sordu Caroline, hem ciddi hem de şaşkın bir sesle.

"Hayır. Dünyanın merkezini göreceğim."

"Ne?" dedi Caroline, hızla babasına dönerek. "O da ne demek?"

"Pek çok Hindu ve Budist buna inanıyor. Orada Kailas adında, piramit şeklinde dev bir dağ var. Bazıları ona Kıymetli Dağ ya da Kar Mücevheri diyor. Oranın, büyük bir çarkın merkezi, yaşam enerjisinin kaynağı olduğuna inanıyorlar. Aşağıdaki dünya ile yukarıdaki cenneti birleştiriyor." Kısa bir süre sessiz kaldı ve Caroline'in yüzündeki hayret dolu ifadeye baktı. "Birkaç arkadaşımla birlikte dağda trekking yapacağız."

"Trekking mi?" diye sordu Caroline.

"Gündüz sırtında kocaman bir sırt çantasıyla yürümek ve gece kamp yapmak demek."

"Kendi başınıza mı?"

"Hayır, kesinlikle yalnız olmayız. Her yıl dünyanın her yerinden binlerce insan Kailas Dağı'nı ziyaret etmeye gelir, etrafında yürürler. Bu onlar için çok önemlidir. Bazıları, dağın etrafında yüz sekiz kez dönerlerse, hayatları boyunca mutlu ve huzurlu olacaklarına inanırlar."

"Sen buna inanmıyorsun değil mi?" diye sordu Caroline gözlerini dikerek. "Senin neden oraya gitmen gerekiyor?"

"Karşılaştığımız büyük gizemli olaylar hakkında düşünmemiz gerekir. Bu kadar insanı Kailas Dağı'nda yürümeye, her tarafını incelemeye, dua etmeye, yüzlerini sürmeye, yaşamlarının tamamen dışında bir şeyle bağlantı kurmaya yönelten gizemi."

"Baba, bu çok tuhaf geliyor kulağa."

"Sanırım öyle; en azından bizim için."

"Ne kadar kalacaksın?"

"Yaklaşık bir ay."

"Bir ay! Bu uzaklarda olmak, için çok uzun bir süre..."

"Düşündüğünden çok daha hızlı gidip geleceğim."

Caroline puantiyeli eşarplı küçük ayısını aldı, ona sarıldı. "Ben de gelebilir miyim? Yük olmam, çok kuvvetli bacaklarım var."

"Ah canım, gelmeni çok isterdim, ama şimdi olmaz. Biraz daha büyüdüğünde."

Caroline'in yüzü öfke ve memnuniyetsizlikle buruştu. "Biraz daha büyüyene kadar bekleyemez misin?"

"Böyle bir yolculuk için bekleyemem" dedi babası. "Sen büyüyorsun ama belli bir yaştan sonra benim bacaklarım zayıflamaya başlar."

"Ama gitmek *zorunda* değilsin" diye ısrar etti.

"Biliyorum ama gitmeyi seçiyorum. Böyle bir seçim yapabildiğim için şanslıyım. Bu fırsatı değerlendiremezsem pişman olurum."

Caroline bir süre küskün bir ifadeyle dudaklarını büzdü. "Çok saçma. Neden burada benimle ve EP ile kalmayı seçemiyorsun ki?" Kapıya doğru sert bir adım attı, şöyle bir babasına baktı ve odadan çıktı.

Babası yatağa oturdu ve elini alnında gezdirdi. Önce bana, sonra da pencereden dışarı göle doğru baktı. "Merak etme EP. Her şey yoluna girecek" dedi.

Gözlerine baktım. Derin düşünceler içindeydi. *Asya*, eski kabımda duymuştum bunu, *"Bombina orientalis... Asya'dan."* Oralıydım ben, küçük bir yumurtanın içindeki siyah bir nokta olmadan önce. Gözlerini uzaktaki bir şeye kaydırdı. Göle doğru uzanan bakışlarını takip ettim. O zamana kadar onu, odada dolaşan iki bacaklı bir insan olarak düşünmüştüm, fakat şimdi, evinin güveni ve rahatının ötesinde bir şeyin arayışında olduğunu görebiliyorum. O da vahşi olmanın nasıl bir şey olacağını düşünüyordu.

Caroline'le mutlu, bu evde kaldığım sürece dışarıda olmanın macerasını, bir gölde yaşamanın verdiği özgürlüğü, doğrudan sırtıma vuran sıcak güneşin rahatlığını bilmeme imkan yoktu. Aç ya da susuz olmanın ne demek olduğunu, bunları karşılayanlara duyulan minneti asla bilemezdim. Bir yılandan korkmanın yarattığı duyguyu ya da bana doğru gelen bir yırtıcı kuştan kaçmanın verdiği heyecanı bilemezdim. Rahat bir kabın içinde ne bekler ki bir kurbağayı? Bilmiyorum. Ya dışarıda ne bekler? Herşey, hiçbir şey.

Yavaşça bir yuvaya giren, sinsice ilerleyen ve yiyecek arayan yırtıcı bir hayvan gibi irkiltici bir fikir geldi aklıma. Tehlikeleri ve sonuçlarını, zorlukları ve başarısızlıkları, heyecanı ve özgürlüğü düşündüm. Eğer bedenimle hareket edip her gün bir yerden başka bir yere gidebilseydim; yaşayan, nefes alan, gelişen bir dünyanın bir parçası olmayı seçebilseydim, bir camın arkasından izlemek yerine, hayatın içinde olabilseydim bunu yapardım; vahşi olmayı seçerdim.

3

"Yeni bir eve gitmek kaçınılmazdır. Eriyen karın kaynak şuyunu beslemesi kadar hayatın bir parçasıdır." Bu sözler yaşlı kurbağadan alıntı. Gökyüzündeki kuş sürülerinin, yerdeki hayvanların nasıl da sürekli geri dönüp, atalarının yerlerini ziyaret ettiklerini anlattı. Göç keşif değildir asla; her zaman geri dönmektir. Unutulan, fakat daha sonra hatırlanan bir yere yeniden dönmektir. Macera ve gizem vardır bu harekette. Eğer dışarıda olsaydım, vahşi olsaydım, nereye dönerdim?

Caroline de iki ev arasında gidip geliyordu. Babasının evinde birkaç gün geçiriyor, sonra bir süre annesinin evinde kalıyordu. Bu tablo o kadar ritmik, doğal ve sürekliydi ki çok az düşünüyordum bunu. O yokken babası bakıyordu bana, döndüğündeyse, kocaman bir merhaba ve birkaç böcekle selamlanıyordum. Fakat onu tanıdıkça, yüz ifadelerini daha iyi anlamaya başladıkça, bu gidip gelmenin onda sıkıntı yarattığını fark ettim.

Bazen akşamları uykudan önce, yorganının altından benimle konuşurdu ve ebeveynlerimle ilgili sorular sorardı. Nerede yaşadıklarını, onları özleyip özlemediğimi, aynı gölde mi, yoksa iki ayrı gölde mi olduklarını sorardı.

Bu tür sorular beni güldürürdü. Kurbağaları ne kadar az tanıdığını görünce başımı iki yana sallardım. Biz ebeveynlerimizi hiç düşünmeyiz ki. Yumurta keseciğimizden çıktığımız andan itibaren onlardan olabildiğince uzaklaşmaya çalışırız. Ebeveynlere sahip olmak bizim için avantajlı bir durum değildir; çoğu zaman bizi yemeye çalışırlar çünkü. Ebeveynler sadece dünyaya gelmek için gereklidir. Kurbağalar temelde öksüz ve yetimdirler.

Yatağında oturarak camdan dışarı baktı. "Evden ayrılıp gölde yaşamaya başlasaydım, merak ediyorum acaba ne olurdu?" dedi. Oyuncak ayısını aldı, göğsüne yaklaştırdı. "Sence annem ve babam, birlikte beni bulmaya gelirler miydi? İkisi de benimle birlikte gölde yaşarlar mıydı?" Yanağından aşağıya bir damla yaş süzüldü.

Başını yastığa gömerken, babasının yaklaşan ayak seslerini duydum. Yatağa, kızının yanına oturdu ve yavaşça sırtını sıvazladı. "Ne oldu Pook?"

"Hiç." Caroline doğruldu ve eliyle yanağındaki birkaç damlayı sildi.

"Hiçbir şey mi?" dedi babası, sorgulayarak. "Emin misin?"

"Şey... iki ayrı yerde yaşamak zor oluyor" dedi.

"Biliyorum. Lütfen annenin de benim de seni sevdiğimizi unutma. Bu çok önemli."

"Bunu biliyorum... Sorun bu değil."

"Ne peki?"

"Aynı anda iki yerde birden olmak istiyorum, seninle ve annemle."

"Biliyorum."

"Bazen o kadar mutlu ve huzurlu oluyorum ki hep burada, odamda kalmak istiyorum. Bazen de annemle birlikteyken hep orada kalmak istiyorum. Baba, kimi daha çok sevdiğimi bilmiyorum."

Babası sessizdi. Bana baktı. Yavaşça ona göz kırptım. "Cevaplaması zor bir soru bu" dedi.

"Boşver..."

"Caroline" diye sözünü kesti adam "bazen sorular çok zor olduğu zaman, mesele bir cevap bulmak değildir. Daha anlamlı olan başka bir soru bulmaktır."

Caroline çenesini avucuna dayadı, parmaklarını yanaklarına bastırdı.

Babası dolaba gidip bir çift ayakkabı aldı, Caroline'e getirdi.

"Ne yapıyorsun?" diye sordu küçük kız.

"Hangisini daha çok seviyorsun, sağdakini mi, yoksa soldakini mi?"

"Baba, ne demek istiyorsun? İkisi de aynı." Kaşlarını çattı.

"Hayır, tam olarak aynı değil. Soldakini sağ ayağına giyemezsin, sağdakini de sol ayağına... doğru mu?"

"Sanırım giyemem."

"Hangi ayakkabı tekini daha çok sevdiğini düşünmek zorunda değilsin. Sadece sağ tekini giyip zıplayarak gezebilirsin ya da aynı şeyi sol tekiyle yapabilirsin, ama aslında ikisine de ihtiyacın var, özellikle de sert kayaların üzerinde yürüyeceksen. İkisinden birini seçmene gerek yok."

Caroline babasından ayakkabılarını aldı, yorganının ucuna uzandı ve ikisini de giydi.

"Bu gece iki ayakkabımla birden uyuyacağım."

Babası onu öptü ve uykuya daldı.

Bir böcek gibi kıvrılıp iki tokmağımı da vücudumun altına gömebiliyor, en küçük bir sesin ya da ışığın içeri girmesine izin vermeden, onları kabuğundaki bir salyangoz gibi saklayabiliyorum; ya da tokmaklarımı havada sallayabiliyor, korkusuzca her şeye ve herkese gösterebiliyorum. Dışarı çıkmadan önce, kimsenin bakmadığından emin olup gizlice sürünebilirim veya daha kimsenin sorma fırsatı olmadan, geldiğimi yüksek bir vraklama sesiyle ilan edebilirim. Hangisi en doğrusu? Yaşlı kurbağa burada olsaydı, ona sorardım. Fakat şu an tek başınayım ve danışabileceğim hiç kimse yok. Kendim karar vermek zorundayım. İki seçenekten hiçbiri, tokmaklarımın keskin sırtını göstermek ya da onları saklamak, günü gözyaşı yerine bir gülümsemeyle sona erdirecek gibi görünmüyor.

4

Yükselen sular tarafından getirilen ve sonra kuruyarak uçup gitmeye mahkum, narin yosun parçaları gibi sorular gelip gidiyordu zihnime. Başka kim vardı annenin evinde? Bir kurbağaya nasıl davranmaları gerektiğini biliyorlar mıydı, yoksa *tıktıkçı* mıydılar ve beni zıplatarak eğlenmeye mi çalışırlardı? İki bacağıma gülerler miydi, beni ters çevirip karnıma bakmak için çubuklarla dürterler miydi? Dışarıda yaşasaydım, vahşi olsaydım, bu tür sorular kafamı kurcalamazdı. Nereye gideceğime ve ne kadar kalacağıma yalnızca ben karar verirdim.

"Baba, buraya gelir misin bir dakika?" Caroline kollarını göğsünde kavuşturmuş, bağdaş kurmuş yatağında oturuyordu ve yüzünde ciddi bir ifade vardı. "Asya'ya gitmeden önce, seninle önemli birkaç şey konuşmak istiyorum."

"Sen gittikten sonraki gün annemin doğum günü. Ona bir pasta alabilir miyiz? Üzeri krema kaplı limonlu bir pasta, süslü olmasın ki kendim süsleyebileyim."

"Tabi ki" dedi babası. "Bu çok düşünceli bir davranış olur. Annen çok mutlu olacak."

"Bodrumda saklayabileceğim iyi bir yer biliyorum" dedi Caroline. "Geldiği zaman ona sürpriz yapacağım."

"Her şeyi düşünmüşsün. Harika. Okul çıkışı bir pasta seçeriz beraber. Ben de gideceğim gün alıp getiririm."

"Güzel. Şimdi... bir şey daha var. Yarın EP'yi annemin evine getirmeni istiyorum, böylece sen gitmeden yeni evine alışmış olur." Caroline ayağa kalktı ve kabıma yaklaştı. "Onu getirirken dikkatli olmalısın. Şuradaki kayaları görüyor musun?" dedi eliyle işaret ederek. "Tehlikeli olabilirler."

Babası eğildi ve merakla içeriye baktı. "Tehlikeli mi?"

"Evet, biliyorsun EP saklanmayı sever. Arabada sarsılırsa bir kayanın düşüp onu ezmesinden korkuyorum, yani tıpkı deprem gibi."

"Ona bir şey olmayacak. Sadece kısa bir..."

"O zaman" diye sözünü kesti babasının, "onu götürürken, başka bir kaba koy. Kaya olmayan bir kaba. Tamam mı?"

Babası eğilip Caroline'e sarıldı. "Merak etme, çok yakın bir mesafe. Çok dikkatli olacağım."

Yavaşça itti babasını. "Bak baba, yamyassı olmuş bir kurbağa istemiyorum, ona göre."

İkisi de güldüler. İrkildim.

"EP sadece özel bir kapta yolculuk etmeyecek" dedi babası. "Aynı zamanda yeni bir arabada yolculuk edecek."

"Ne? Ben eski arabanı seviyordum."

"Eski arabam tamirde. Genç ve ehliyeti olmayan bir sürücü bana çarptı. Neyse ki kimseye bir şey olmadı. Başı biraz belaya girdi, ama şu anda çok güzel, yeni kırmızı bir arabaya biniyorum."

"Tamam... güzel. EP gibi bir şövalye de yeni bir arabaya binmeli zaten."

"Tabi ki" dedi babası tuhaf bir aksanla. Gülümsedi ve Caroline'i başından öptü.

O gece çok gergindim. Yeni evimde neler olabileceğine dair karışık rüyalar gördüm. Babasının sesi beni uyandırana kadar düşünceler zihnimde dönüp durdu.

"Büyük taşınma zamanı geldi." Şeffaf, cam bir kaseyi bana doğru uzattı. "Bunun içinde yolculuk edeceksin."

Cam kaseyi tutan ellerine bakarken, şu annenin evine göç etmek, birdenbire çok kötü bir fikirmiş gibi geldi bana. Kase soğuk ve küçüktü. Saklanacak bir yer, yaslanıp dinlenebileceğim güzel bitkiler, atlayabileceğim bir havuz yoktu.

Ağı kabımın içine daldırdı. "Gitme zamanı."

Hareketsiz kaldım. Hayır, bu ters çevrilmiş ampulün içinde oturmayacaktım.

"Hadi EP, gir içine."

Çakıllı kumun içine daha da daldım. Ağı doğrudan burnumun dibine getirdi, beni parmağıyla itti, kaseye yerleştirdi ve kapağı kapattı.

Evden çıkarken, güneşin parlak ışıkları bitkileri ve ağaçları aydınlatıyordu. Uzakta bir yerde, sürekli pencereden gördüğüm göl vardı. Eğer dışarı çıkabilseydim ya da ayağı tökezlese ve kaseyi düşürseydi, zıplayarak uzaklaşır ve özgür olurdum. Ağaçların ötesinde ne olduğunu görmek için dört bir yanda fırıl fırıl dönerdim. Dışarısı o kadar yakındı ki. Sadece bir dakikalığına hissetmek istiyordum onu.

"Sakin ol. Zıplamayı kes. Her şey yoluna girecek" dedi. Beni parlak, kırmızı arabasına götürdü, kapıyı açtı ve kaseyi, sürücü koltuğunun arkasındaki döşemenin üzerine yerleştirdi. Yorgun düşene ve uyuşuk bir külçe halinde yığılana kadar cama çarpıp durdum.

Bir süre sonra, kabımı getirdi ve yanıma koydu. Camdan küçük, rahat dünyama baktım. Çakıllı kum öyle nemli ve çekici, su öyle ferahlatıcı ve büyük kayalar o kadar koruyucu görünüyordu ki kabın içinde olmak istedim.

"Endişelenme EP" dedi. "Kısa bir mesafe, sonra tekrar evinde olacaksın."

5

Araba sert bir dönüş yaptı. Kase yana yattı, yere devrildi ve tok bir ses çıkararak kabımın kenarına çarptı. Cama şiddetli bir biçimde çarparak kasenin içinde dönüp durdum. Arabanın her hareketinde, kase ileri geri gitti ve sallayıp durdu beni. Bacaklarımı uzatarak kendimi germeye çalıştım, fakat bu faydası olmayan bir çabaydı; dayanacağım hiçbir şey yoktu. Bacaklarımı göğsüme doğru çektim, tortop oldum ve bir yandan diğer yana, sırt üstü ve karın üstü, olan biteni yok sayarak yuvarlanıp durdum.

Birdenbire arka bacağımda sert bir şey hissettim. Gözlerimi açtım ve çekinerek bu tuhaf şeye baktım. Plastik kapak, kasenin ağzından ayrılmaya başlamıştı. Yavaşça bir bacağımı uzatıp açılan yerden halıya dokundum. Sağlam ve rahatlatıcıydı. Bir sarsıntı daha. Yana devrildim. Hemen kendimi düzelttim ve tekrar kasenin ağzına doğru gittim. Yuvarlandıkça kapak açılıyordu. Ayağımı yere sürttüm ve halının tüylü, sert yüzeyini hissettim. Halının dokusu farklı ve çekiciydi. Her sarsıntıda yavaşça ayağımla dokundum; iç gıcıklayıcıydı. Halıyla oynamak, sırtımdaki sürtünüşünü hissetmek istedim.

Bir sarsıntı daha. Sonra hop! Kapak tamamen açıldı. Biraz sallanıp dümdüz yere kapaklandı. Kasenin kenarında açıklığa baktım. Biraz dinlenip yere indim ve kasenin yuvarlanışını izledim. Birdenbire araba durdu ve bir sessizlik oldu.

"İşte geldik" dedi Caroline'in babası. Arabadan çıktı ve kapısını kapattı.

Hızla kaseye yöneldim. Pekâla tekrar içine girip hiçbir şey olmamış gibi yapabilirdim. Bunu *yapabilirdim*; seçme şansım vardı. Kabıma baktım. Dışarıdaydım, kenarlarında gezinebiliyor ve bunca zamandır yaşadığım küçük kutuya bakabiliyordum. Kocaman açıldı gözlerim, sürünerek saklanabilirdim de aynı zamanda.

Bu Caroline'in ve babasının isteyeceği bir şey değildi, fakat onların istediğini de ben arzu etmiyordum. Birden kendimi suçlu hissettim. Hata mı yapmıştım gerçekten? Kasenin içinde kalmam gerekiyordu. Kasenin yan devrilip kapağının açılması tamamen kazaydı. Kendimi, sürekli yuvarlanıp durmaktan kurtarmak için bir yol bulmaya çalışıyordum sadece. Bunu anlayabilirlerdi. Korkmuştum. Saklanmak zorundaydım.

"Hemen geliyorum." Caroline'in sesi yankılandı uzaktan.

Pek çok kez yere düşürülmekten korkmuştum, yiyecek vermeyi unutmalarından endişe etmiştim ve Bay Yılan'ın kafesinden çıkıp ziyarete gelmesinden kaygılanmıştım. Fakat bu korku farklıydı. Caroline'den ya da babasından korkmuyordum. Birinin bana yapabileceği bir şeyden korkmuyordum. Kendimden korkuyordum. Yapabileceğim seçimden korkuyordum. Babasının toprak yolda çıtırdayan ayak sesini duydum. Arka kapının kolunu kaldırdı.

Olduğum yerde kalsaydım, her zamanki gibi rahat ve güvenli yaşamıma devam edecektim. Babası beni yerde bulacaktı. Kısa süren bir şaşkınlıktan sonra tekrar kabıma koyacaktı. Fakat, eğer bir süre saklanıp beni aramalarını sağlarsam, o süre boyunca onların üzerinde kontrolüm olurdu. Ürperdim.

Caroline arabanın yanına geldi ve kafasını arka pencereden içeri soktu. "EP nerede" dedi.

"Arkada kasenin içinde" dedi babası.

"Ama baba, kase boş!"

Babası hızla döndü ve kapıyı açtı. "Ne?" Sesi alçak ve gergindi. "Kapak açılmış olmalı."

"Öyle olduğunu görebiliyorum baba." Caroline etrafı kolaçan etmeye başladı. "EP nerede?"

"Arabada bir yerlerdedir. Saklanıyor olmalı."

Caroline arka koltukta dizlerinin üzerinde durarak bana seslendi. Başını aşağıya sarkıtarak ön koltukların altına baktı.

"Nasıl oldu bu?"

Babası boş kaseyle kapağı aldı. Sanki bir ipucu verebileceklermiş gibi inceledi onları. "Muhtemelen karanlık bir köşede saklanıyor" diye tahminde bulundu. "Git annenden bir fener al getir."

Sürüklenerek meydana çıkabilirdim, fakat bunu yapma ihtimalim, elmadan bir ısırık alan birinin, onu tekrara ağaca koyması gibiydi. Sürücü koltuğunun altında bir delik olduğunu fark ettim. Sürünerek o deliğe gittim, sıcak, kaygan metale yasladım ve bekledim.

Feneri görebildikleri her deliğe tuttular. Babası sol tarafta, Caroline ise sağda. Uzun bir süre ışık huzmelerinin yerde dans edişini ve burnumun dibinde sağa sola hareket edişini izledim. Neyse ki çok iyi saklanmıştım.

"Büyük ihtimalle sadece korkmuştur" dedi Caroline.

"Merak etme sadece iki yer var saklanabileceği. Onu bulacağız" dedi babası. "Koltuğun altında olmalı."

"Belki de sen kapıyı açtığın zaman dışarı zıpladı." dedi Caroline heyecanla.

Adam "Hayır bu mümkün değil" diye rahatlatmaya çalıştı kızını, arabanın etrafına bakarak. "İçeride olmalı."

Uzun süre aradıktan sonra babası Caroline'in yanına oturdu. "Onu bulacağız. Ama artık yatma zamanın geliyor. Annen seni bekliyor."

"Ama baba, bir şeyler yapmak zorundayız!"

"Haklısın, bir plan değişikliği yapmamız gerekiyor. Biz EP'yi bulamıyorsak, onun bizi bulmasını sağlamalıyız."

"Ne demek istiyorsun? Ne yapacağız?"

"Daha karar vermedim" dedi babası. "Düşünmem gerekiyor."

"Ama baba..."

"Bir şeyler düşüneceğim, söz veriyorum. Hiçbir kurbağanın karşı koyamayacağı bir plan yapacağım."

6

"Neredesin?" diye seslendi adam, kapının yanında çömelerek ve koltukların altına bakarak. Cam kaseyi eline aldı, döndürdü, başını iki yana salladı. "Nasıl çıktın dışarı?" Sesi endişeliydi.

Kaseyi, kabımı dışarı çıkardı ve yeniden fenerle aramaya başladı. Yer paspaslarını, kağıtları, haritaları, ön cam gölgeliğini, eline geçen her şeyi fırlatıp attı, sürekli söylenerek ve çok gürültü yaparak. En sonunda aramayı bıraktı, doğruldu ve derin bir nefes aldı. "Yoruldum artık. Dışarı çıkmanın zamanı geldi."

Neden böyle bir şey yapacaktım ki? Kesinlikle dışarı çıkmayacak, beni eski bir kağıt parçası gibi yakalamasına ve tekrar kabımın içine hapsetmesine izin vermeyecektim. Saklanmak bana kendimi çok önemli hissettiriyordu. Ayrıca, planını unutmuş muydu? Hani şu hiçbir kurbağanın karşı koyamayacağı planı. İşte onu görmek istiyordum; beklediğim oydu.

Bir süre daha aramaya devam etti, sonra birdenbire durdu ve ayağa kalktı. "Kısa bir araba gezinti yapacağız, sonra saklandığın yerden dışarı çıkacaksın" dedi.

Arabayla gitmeye başladık, yol boyunca ıslık çalarak ve ara sıra "seni yakalayacağım" diye mırıldanarak. Sonra durdu, arabadan çıktı ve beni merak içinde bıraktı. Kısa bir süre sonra, elinde tanıdık bir ses çıkaran bir şeyle geri döndü. Elindekini yolcu koltuğuna koydu. "İşte bu halleder bu işi" dedi.

Baştan çıkarıcı. Daha yakından bakmak istedim. Koltuğun altında birazcık ilerledim. Vücudumu bir kurbağanın yapabileceği kadar esneterek, neyin onu bu kadar mutlu, kendinden emin hale getirdiğini görmeye çalıştım. Fazla dışarı çıkma konusunda kendime hakim olmak zorundaydım; merakımın yakalanmama neden olmasını istemiyordum, bu işini kolaylaştırırdı.

Eve döndük, arabadan çıktı ve birkaç dakika sonra elinde çok tuhaf bir şeyle geri döndü. Yere, kabımın dibinden çıkarılmış küçük kayalarla kaplanmış, kocaman, kırmızı bir yemek tabağı koydu. Tabakta kumla karışık altlarına gizlenmeyi sevdiğim kayalar, aralarına ise nilüfer yaprağı dahil birkaç bitki serpiştirilmişti. Yerleştirme gelişigüzel bir şekilde yapılmıştı ama yine de sert halıdan çok daha çekiciydi.

Arabanın kapısını kapattı, içeri gitti ve yemek tabağı büyüklüğünde, kurbağa kalınlığında, iki dikdörtgen taşla geri döndü. Üstlerinde buhar tütüyordu. Onlardan bir tanesini tabağın altına diğerini de kapının yanına koydu. "Bu seni bu gece sıcak tutar" dedi

Kurbağa saunası! Haklıydı. Karşı koyulmazdı. En sevdiğim nilüfer yaprağımın altında, tanıdık kayaların ve rahat taşların arasında, sıcak ve nemli bir sayfiye evi. Olağanüstü olacaktı.

"Devamı var" dedi yaramaz bir oğlan çocuğu gibi.

Daha fazlası mı? Bir kurbağa başka ne isteyebilir ki?

Şeffaf, plastik bir poşeti ön koltuktan aldı, dikkatle tabağın yanına koydu. Bir torba dolusu sıçrayan, hoplayan, vızıldayan cırcır böceği, öyle bir karmaşa, öyle bir heyecan tablosu yaratıyordu ki gözlerim yerinden fırlamaya başladı.

Ah evet! Pes ediyorum. Buna gerçekten karşı koyulmazdı. Dışarı çıkıp geceyi bu kurbağa cennetinde uyuyarak geçirmek istiyordum. Burada, arabanın arka koltuğunda, bu kırmızı tabakta, ılık, kaygan kayaların ve yeşil, taze nilüfer yaprağının arasında sonsuza dek yaşamak istiyordum. Ah o böcekler... Tam o anda, oraya zıplamamak için kendimi tutmam gerekiyordu.

Uzun bir süre hareketsiz bekledim. Geri dönmeyeceğinden emin olmalıydım. Sonunda saklanma yerimden ayrılıp sıcak kayalara tırmandım. Kendimi o kadar iyi, o kadar rahat hissettim ki bir deliğe sıkışıp her türlü derdimi unuttum.

Ne var ki zıplayan böceklerin hareketlerine hipnotize olmuş otururken, sıcak kayalarda, yumuşak, yeşil nilüfer yaprağının altında keyif yaparak üç dört tanesini mideye indirme fikri karşı koyulmazdı. Bir şekilde onları yakalayacaktım. Torbayı ısırmayı denedim, fakat bunun çok kötü bir fikir olduğunu anladım. Dişlerim yoktu, sadece yumuşak diş etlerim vardı. Yaptığım tek şey kaygan, lezzetsiz torbaya salyalarımı akıtmak olmuştu. Yerde kürdan ya da küçük bir kalem gibi, ağzıma alıp torbayı patlatabileceğim bir şeyler aradım. Fakat cennet gecemi, soğuk arabada büyük ihtimalle bulamayacağım bir şeyi arayarak harcamak istemiyordum.

Aklıma bir fikir gelmişti. Belki de bir hava atışı yapabilirdim. Arka koltuğun başına çıkana kadar uğraştım, ucuna kadar gelip aşağıya baktım. Bir kaşifin uçsuz bucaksız topraklara bakması gibi, ayağımın altında serili duranları inceledim.

Kendimi, tam hazinenin üzerinde olacak şekilde konumlandırdım. Tıpkı bir atlet gibi ısınmak ve ne kadar yükseğe atlayabildiğimi ölçmek için olduğum yerde birkaç kere zıpladım. Isındığımı hissettim, dilim ağzımın içinde ileri geri hareket etmeye başladı. Gözlerim hemen aşağıdaki şeffaf, ince torbada vızıldayan cırcır böceklerine odaklandı.

Kocaman bir hamleyle, neredeyse beş kurbağa bacağı yükseğe zıpladım. Bacaklarımı olabildiğince ileri doğru uzattım. Aşağıya, böcek dolu torbaya baktım; salak böceklerin neler olacağından haberleri yoktu. Doğrudan torbanın üzerine daldım. Hop! Torba patladı. Bir böceğin üzerine düştüm.

Gereklilik buluşun anasıdır belki ama, tutku da kesinlikle şeytanlığın anasıdır. Ne kadar da ihtişamlı bir şeytanlık yapmıştım. Torba tamamen açılmıştı ve iki düzine cırcır böceği ortalıkta hoplayıp zıplıyordu.

Bazıları kayalara, bazılarıysa koltukların üzerlerine zıpladı. Bir kısmı ise çekmeceye sıkışmış gibi sürekli kafalarını çarparak tabağın kenarından aşağıya ve yukarıya atladılar. O anda, araba çılgınca hareket eden cırcır böceği sesleriyle çınlıyordu. Yiyeceklerle dolu bir kurbağa sirki gibiydi adeta.

Kaya tabağına geri döndüm ve hızla birkaç böcek yakaladım. Küçük, sulu bir böceği halının üzerinde takip ettim, sonra üç tanesini daha sürücü koltuğunun altına kadar izledim. İki gevrek böcek yolcu koltuğunun altına yönelmişlerdi. Çok geçmeden altı tanesi akşam yemeğim olmuştu bile.

Ah, bu nasıl bir mide ağrısı böyle! Neredeyse hareket edemiyorum. Daha önce bir seferde hiç bu kadar çok yememiştim. Son iki böcek, mide borumda yer açılana kadar ağzımda beklemek zorunda kaldı. Midem o kadar doluydu ki güzel, sıcak tabağa tırmanamazdım. Koltuğun altına kadar gidebildiğim için bile şanslı sayılırdım. Karnında kocaman bir sıçan ve bir tanesi de yolda olan bir yılan gibi şiş bir biçimde uyuyakaldım.

Ertesi gün baba geldi ve arabanın kapısını açtı. Yamyassı olmuş boş naylon torbayı görünce tüyleri diken diken oldu. Tabağın etrafına, koltukların altlarına bakındı. Pek mutlu görünmediğini söyleyebilirim. Torbayı yerden alıp salladığını duydum. "Adi naylon" dedi.

Adi naylonmuş! Ya akıllı kurbağaya ne demeli! Son iki böceği de mideye indirip uyumaya devam ettim.

7

Ön camdan sırtıma güneş vuruyordu. Neredeyse günün tamamını uyuyarak geçirmiştim; tam olarak ne kadar uyuduğumu bilmiyordum. Böcekler hâlâ etrafta zıplayıp duruyorlar mıydı, yoksa kaçıp gitmişler miydi, merak ettim. Belki de ben uyuklarken, birileri arabanın her bir parçasını tek tek kaldırarak beni bulmuş ve sonra da egzotik ve zengin topraklara getirmişti. Belki de yok sayılmıştım, unutulmuştum ya da yerim bir başkası tarafından doldurulmuştu. Uykum dünyanın dönüşünü durdurmuştu; o anda hiçbir şeyin önemi yoktu.

Toprak yolda ayak sesleri ve sonra arabanın kapısının açılma sesini duydum. "Sen artık büyük bir bela olmaya başladın. Seni bulmak için sadece iki günüm kaldı."

Görünen oydu ki unutulmamıştım, fakat sesi artık hiç de yumuşak değildi. Bir hışırtı duydum, sonra bir ışık huzmesi yerde dans etmeye başladı. "Artık böcek falan yok" dedi. "Zaten şu anda burada fazlasıyla var. Bu gece sana sadece ılık bir şişe su var."

Tabaktaki kayaları yeniden düzenledi. "Eğer iki bacaklı olmasaydın, başka bir kurbağa alırdım ve bu sorunu hallederdim!"

Yaşasın, iyi ki iki bacağım var!

Kapıyı kapattı ve gitti.

Bir an için, ılık kayalarda uyumayı geçirdim aklımdan, fakat babanın sesi artık pek de rahatlatıcı değildi. Ayrıca midem o kadar doluydu ki böceklerle, bir şişe ılık su ve bir tabak kaya beni kandıramazdı. Koltuğun altındaki küçücük yerime kıvrıldım, gözlerimi kapattım ve hayal kurmaya başladım.

Annenin ya da babanın evinde mutlu olabilirdim pekâla. Tıpkı Caroline gibi, başka bir eve daha sahip olmaya alışabilir ve her iki evimde de huzur bulabilirdim. Hangi evde yaşarsam yaşayayım, vereceğim kararlar gayet basit ve anlaşılır olurdu; böceği şimdi mi yiyeyim, sonra mı; nilüfer yaprağının üzerinde mi yatayım, yoksa kayanın altında mı? Bu tür seçimler en küçük bir gerilime ya da pişmanlık zerresine yol açmazdı. Tek yapacağım, kaya tabağına tırmanmak, nilüfer yaprağının altına kıvrılmak ve uyumaktı. Hemen yakalanırdım. Herkes rahatlardı ve mutlu olurdu. Büyük bir zafer edası ve şaşaayla beni tekrar kabıma koyarlardı. Caroline sevinçten deliye dönerdi, nasıl kaçtığım, nerede saklandığım ve ne yaptığımla ilgili binlerce soru sorardı.

Ne var ki çok değerli ve kolay elde edilmeyen bir şeyden vazgeçmiş olurdum. Özgür olamazdım. Şu an belki de bir daha asla sahip olamayacağım olanaklarım vardı. Ağzımın tadını kaçırmak kolay olmayacaktı benim için ama koltuğun altındaki delikte kalırsam, vahşi olma şansı serilecekti önümde.

Bu durum son derece ürkütücü ve baş döndürücüydü. Titredim. Çok basit bir hareketle korkumu dindirebilirdim, tek bir küçük adımla. Hareket etmek istiyordum, fakat edemiyordum. Hem beni bulmalarını istiyordum, hem de saklanmaya devam ediyordum. Hem birinin bana böcek getirmesini istiyordum, hem de kendim avlanmak istiyordum. Hem rahat olmak ve ilgilenilmek istiyordum, hem de özgür ve vahşi olmak.

Seçimim başkaları için önemli sonuçlar doğurabilirdi. Küçük bir kızın gözünden bir damla yaş gelmesine neden olabilir ya da onda rahatlama ve mutluluk yaratabilirdi.

Ertesi sabah, babası Caroline'i görmeye geldi. Evin önündeki yola girer girmez, Caroline karşılamak için koştu, ellerini arabaya koydu ve camdan içeriye doğru eğildi. "Onu buldun mu?"

"Hayır, henüz değil" dedi babası "Ama sana anlatacağım komik bir şey var."

"Ne?"

"Arkaya bak."

Arka camdan içeriye kafasını uzatışını görebilecek kadar çıktım yerimden. Kayaların olduğu tabağa baktı. "Bunu EP için mi yaptın?"

"Geceyi tanıdık bir şeylerin üzerinde uyuyarak geçirmek ister diye düşündüm. Akvaryumdan aldığım birkaç bitkiyle süsledim tabağı. Bak!"

Babası arabadan inip arka kapıyı açtı. Caroline eğildi tabaktan bir kaya aldı. "Haklısın baba. Çok komik. Kurbağalar için mobil bir ev gibi olmuş." Küçük kız arabanın içine bakındı. "Neden cırcır böceği var burada?"

"EP'nin aç olabileceğini düşündüm. Cırcır böceklerini sevdiğini biliyorum."

"Böcekler mi?" dedi kız şaşırarak. "Kaç tane var ki?"

"Yaklaşık yirmi" dedi babası. "Bir şekilde naylon torbadan dışarı çıkmışlar."

Caroline'in elindeki taş yere düştü. "Yani bu arabanın içinde zıplayıp duran canlı böcekler mi var?"

"Şey... evet. Birkaç fazladan yolcum var, fakat hâlâ bir kişilik yerim daha var, tabi eğer bir külah dondurma istersen."

"Bu çok saçma." Caroline güldü ve avuçlarını yanaklarına koydu sonra birdenbire ciddileşti. "EP'yi yarına kadar bulamazsak ne olacak?" diye sordu.

"Merak etme. Onu bulacağız" dedi babası.

"Hemen şimdi arayabiliriz" diye ısrar etti kız, arka koltuğa girerek ve etrafa bakınarak.

Babası ilgisiz bir biçimde izliyor gibiydi. "Hadi gidip dondurma yiyelim sonra bakmaya devam ederiz" dedi.

Kız aramayı bıraktı, arka koltukta kollarını birleştirerek ve bağdaş kurarak oturdu. "Evet, hâlâ zaman var."

Ön koltuğa tırmandı ve yerleşti. "Baba" dedi, inip çıkan bir ses tonuyla. "Onu yarına kadar bulmazsak, sonsuza dek kaybolacak."

8

Uzaktan bir zil sesi duyuldu. Gülen çocukların sesleri göğü kapladı. Kısa bir süre sonra Caroline ellerini arabaya dayadı ve kafasını açık camdan içeri uzattı. "Selam baba."

"Okul nasıldı?" diye sordu babası.

"Fena değil." Kafasını daha da içeri uzattı, babasının omzunun üzerinden koltuğunun arkasındaki döşemeye baktı. "Kaya tabağına ne oldu?" Cevabı beklemeden, arka kapıyı açıp etrafa bakındı. "EP'yi buldun mu?"

Koltuğa yerleşirken, babası ona döndü. "Hayır Pook, arabadan her şeyi çıkarmak zorunda kaldım. Birkaç saat içinde arabayı havaalanında bırakmak zorundayım."

"Ama baba..." Kızın sesi tizleşti ve titremeye başladı.

"Arkadaki kutuyu görüyor musun? Annenin pastası. Bu sabah aldım."

Caroline kutunun yanında oturdu ve elini üzerine koydu. "Limonlu ve beyaz krema kaplı, değil mi?"

"Hı hı."

"Peki ya EP? O nerede?"

"Ben... bilmiyorum" dedi babası sesi titreyerek.

"Baba, burada olduğunu biliyorum. Onu bulmak için hâlâ zamanımız var. Biraz daha arayabiliriz. Belki bir yerde sıkışıp kalmıştır ve çıkmak için yardıma ihtiyacı vardır. Belki de sadece biraz yüreklendirilmeye ihtiyacı vardır. Onu bulmamız lazım."

"Tamam... tamam. Son bir kez daha bakarız, ama çok fazla umutlanma."

Caroline kaşlarını çattı, alt dudağını tuttu ve arabanın zeminini gözleriyle dikkatle taramaya başladı. "Belki de kendini göstermek için son bir fırsat bekliyordur" dedi. "Bu arabada bir yerlerde. Burada olduğunu biliyorum. Belki de..." Yavaş-ça pasta kutusunun kapağını açtı ve dikkatle içine baktı.

Bir keresinde yaşlı bir kurbağa, dikkatle ve merakla dinlediğim ama üzerine hiç yorum yapmadığım, ilginç bir hikaye anlatmıştı. İlk bakışta, bazı çayır kurbağalarının nasıl ağaç kurbağası haline geldiklerini anlatan bir hikaye gibi görünüyordu. Fakat derininde, şu an anlamaya başladığım bazı kelimelerden oluşan, inişli çıkışlı gelişen başka bir hikaye vardı.

Rengarenk çiçeklerle kaplı bir çayırın ortasında, berrak, ılık ve nilüfer yapraklarıyla kaplı bir göl varmış. Sık bir sıra ağaç çevrelermiş çayırı, tamamen saklar ve korurmuş. Bu durum en çok kurbağa kolonisinin işine yarıyormuş. Gölde bir kurbağanın isteyebileceği her şey varmış, üstelik çayırda vahşi hayvanlar da yokmuş. Kurbağalar gölde, uzun bitkiler arasında ve çayırda, birine yem olma endişesi duymadan dolaşabiliyorlarmış.

Ara sıra huzursuzluk yaratan tek şey, kenarda büyümekte olan güzel bir ağaçmış. Bu ağaç, çok sayıda sulu ve tombul cırcır böceğinin eviymiş aynı zamanda. Kurbağalar, dallardaki lezzetli böcekleri görebildikleri halde, onları yakalamaya çalışmazlarmış. Bay Yılan ağacın gövdesinin etrafında çöreklenip yatarmış. Çayırın geri kalan kısmında bolca cırcır böceği ve hiç yılan olmadığından, bütün kurbağalar bu ağacı ve nimetlerini yok sayarlarmış; bir kurbağa dışında.

Diğerlerine sürekli, yılanı hiç kurbağa yerken görüp görmediklerini soran meraklı bir kurbağa varmış. O zamana kadar gören olmamış böyle bir şeyi, yılanın tehlikesinin, kurbağaları kandırıp, böcekleri başkalarına saklamak için nesilden nesile aktarılan bir hikaye olduğunu ileri sürmüş. Diğerleri kafalarını iki yana sallamışlar, yılanın yanından geçmenin mümkün olmadığını söyleyip önemsememişler onu.

Bu, gözünü korkutmamış meraklı kurbağanın. Her gün, her gece, böceklere ulaşmanın bir yolunu bulmaya çalışarak ağacı seyretmiş durmuş. Bay Yılan'ın güneş battıktan hemen sonra, ağacın en yüksek dallarına tırmandığını ve sabahın ilk ışıklarına kadar da aşağıya inmediğini fark etmiş.

Bu bilgi kurbağayı huzursuz etmiş çünkü artık bir şans varmış önünde. Eğer ağaca tırmanırsa, av olma tehlikesini göze almış olacak; ama tırmanmazsa da asla gerçeği öğrenemeyecekmiş. Meraklı kurbağa, bu durumu ne kadar düşünürse, o kadar huzursuz ve endişeli bir hale gelmiş. En büyük korkusu hiçbir şey yapamamak, geçmişe dönüp baktığı zaman kararsızlığı yüzünden bu fırsatı kaçıran yaşlı bir kurbağa olmakmış.

Karışık rüyalar gördüğü bir geceden sonra, yola çıkmaya karar vermiş. Diğer kurbağalara, gece yılanın ağacın gövdesinin etrafında çöreklenip yatmadığını ve ağaca tırmanma planını söylemiş. Onunla gelmek isteyen olup olmadığını sormuş. "Bizi dinle" demişler. "Çayırda bir sürü cırcır böceği var, başına dert açmak dışında bir işe yaramaz senin bu yaptığın."

"Bu sizin seçiminiz ve sizin kaybınız" demiş meraklı kurbağa onlara. "O ağaca tırmandıktan ve böceklerle ziyafet çektikten sonra, büyük ihtimalle bir daha geri dönmeyeceğim."

Ve böylece, bir gece meraklı kurbağa ağaca doğru yola çıkmış. Bay Yılan ağacın dallarına tırmanana kadar beklemiş ve sonra o da böcekleri bulmak için ağaca tırmanmış. İlk dala ulaştığında, gizlice muhteşem görünümlü bir böceği takip etmiş ve harika bir yemek için hazırlamış kendini. Gel gör ki, Bay Yılan da gizli gizli meraklı kurbağayı izliyormuş. Sinsice ininden çıkmış, fark ettirmeden arkasından yaklaşıp tek bir hamlede yutuvermiş kurbağayı.

Çayırdaki kurbağalar, meraklı kurbağanın geri dönüp dönmeyeceğini beklemeye başlamışlar. Bazıları onun av olduğunu, bazıları da ağacın tepesinde yaşadığını ve tombul, sulu böceklerle her gün bayram ettiğini düşünmüşler.

Ağaca tırmanma olasılığı bu sefer de diğer kurbağaların aklına düşmüş. Bir süre sonra, ne yapabilecekleri ve nasıl yapabilecekleri konusundaki ardı arkası kesilmeyen tartışmalardan ve vraklamalardan yorgun düşmüşler. Kendilerini, büyük bir ziyafetin onları beklediğine inandırmışlar. Bay Yılan yukarıdaki dallardayken, gece ağaca tırmanmak zorundaymışlar, başka çaresi yokmuş.

Bütün kurbağalar teker teker tırmanmışlar ağaca. Her seferinde Bay Yılan uyanıp ininden çıkıyor, ağaca çıkanın arkasından gizlice yaklaşıyor ve onu yiyormuş. Nihayet geride kalan kurbağalar bunu anlamışlar ve ağaca tırmanmaktan vazgeçmişler. Büyük bir hata yapıldığını ve bundan sonra ağaca kesinlikle tırmanılmaması gerektiğini ilan etmişler.

Fakat her şey burada bitmemiş. Bay Yılan da meraklı bir yaratıkmış. Kurbağalar birdenbire kesildiğinden, nereden geldiklerini ve orada daha başka kurbağalar olup olmadığını merak etmiş. Her gün ağaçtan iniyor, gizlice çayıra gidiyor ve avlanıyormuş.

Çayır kurbağaları, özgürce güneşin altında yatamaz olmuşlar. Artık dikkatle planlamak zorundaymışlar nereye gideceklerini, ne kadar hızlı hareket edeceklerini ve ne zaman hareketsiz kalacaklarını. Bay Yılan her an, her yerde, gizlenmiş onları bekliyor olabilirmiş.

Bay Yılan ara sıra bir kurbağa buluyorsa da en çok ilgisini çeken, çayırın uzak köşelerinde karşılaştığı yılanlarmış. Onlarla oynamaktan ve çiftleşmekten çok hoşlanıyormuş ve çok geçmeden çimenler, üzerinde sürünen bir sürü yılanla dolmuş.

Başlangıçta, bütün bu yılanlardan kaçmaya çalışmak korkunç bir sorun olmuş kurbağalar açısından, fakat çok geçmeden, gökyüzünde uçan yırtıcı doğanlar bu çayırda sürünerek gezen, kocaman ve lezzetli yılanları avlamanın çok kolay olduğunu fark etmişler, hem de bu yılanlar, kemikli tarla farelerinden çok daha çekiciymiş onlar için. Doğanlar gittikçe büyümüş ve güçlenmişler ve çok geçmeden çayırı çevreleyen ağaçların tepelerinde kalıcı tünekler edinmişler kendilerine. Artık tıpkı kurbağalar gibi, yılanlar da saklanmak zorundaymışlar. Zamanla herkes çayırdaki yeni yerlerine alışmış. Bay Yılan'ın ağaçta olmasından endişe etmeyen kurbağalar, giderek ağaca tırmanan kurbağalara dönüşmüşler ve daha önce hiç tatmadıkları kadar sulu cırcır böceklerinden yiyip bayram etmişler.

Yaşlı kurbağa hikayeyi bitirdiği zaman, ne düşündüğümü sormuştu. Yapabildiğim tek şey omuz silkmekti. Mantıklı bir cevabım yoktu. "Görüyorsun işte" dedi. "Bir yılan, bir ağaç ve pek çok kurbağadan oluşan bir dünya rahat olabilir, fakat kesinlikle ilginç değildir. Meraklı kurbağa son derece basit bir seçim yaptı, bir ağaca tırmandı. Evet, belki yem oldu, fakat her şeyi değiştirdi; onun merakı yeni bir dünya yarattı."

"İşte geldik." Babası boğazını temizledi. "Neden pastayı bodruma saklamıyorsun, sonra da son bir kez EP'yi ararız."

"Sen aramaya başla baba. Ben pastayı halledip hemen geliyorum." Caroline kutunun kapağını kapattı ve içeri götürdü.

Döndüğü zaman koltukları öne, arkaya çekti, paspasları kaldırdı ve el yordamıyla, parmaklarıyla küçük delikleri araştırdı. Caroline büyük bir tutkuyla ve kendini kaptırarak yapıyordu bu işi. "Onu bulacağımızı biliyorum baba. Bulmak zorundayız. Sen ön tarafa bak, ben arkaya bakayım."

Caroline dikkatli ve titizdi. Oysa babası sessizdi ve sanki mekanik bir biçimde hareket ediyordu.

Yoldan başka bir arabanın sesi geldi.

"Annem geldi" dedi Caroline. Durup arabanın dışında beklediler.

"Pook, havaalanına gitme zamanım geldi."

Caroline gözlerini önce kapattı, sonra yavaşça açtı. "O yok, değil mi?" Ağlamaya başladı.

Açık kapının eşiğine tırmandım. Yeşil çimenleri, mavi gökyüzünü, uzun ağaçları ve kısa çalılıkları görebiliyordum. Aynı zamanda babasının Caroline'e sarılışını, küçük kızın babasına sokulup, tutku dolu, şiddetli hıçkırıklarla ağlayışını görebiliyordum.

"Onu bir daha hiç göremeyeceğim. Sonsuza dek gitti" dedi.

"Geri dönmeyecek."

Babası onu kucağına aldı. Küçük kız başını babasının boynuna gömdü. Bütün bu olanları tek bir zıplamayla durdurabilirdim isteseydim, fakat artık böyle bir şey yapamazdım. Masumiyetimi kaybetmiştim.

"Caroline, dinle. Ona ne olduğunu, nerede olduğunu bilmiyorum. Geleceğin, iki bacaklı kırmızı karınlı bir kurbağa için ne tür ihtimaller barındırdığını hiç kimse bilemez. Arabayı geri verdiğim zaman, bu arabanın içinde iki düzine cırcır böceği ve saklanan bir kurbağa olduğunu söylemeyeceğim. Ölme ihtimali de var, fakat farkında olmadığımız pek çok ihtimal daha var. Her şey mümkün. Arabayı benden sonra kim bilir kim kiralayacak? Kimsenin görmediği bir anda, EP arabadan dışarı çıkabilir ve hayal edebileceğin muhteşem bir macera yaşayabilir. Eksik Parçalar, iki bacaklı, ateş karınlı kurbağa her şeyi yapabilir."

"Ama ölebilir de aynı zamanda!"

Babası başını öne eğdi. "Biliyorum."

Birbirlerine öyle sıkı sarılmışlardı ki vücutları tek bir bütün gibi görünüyordu. Bir süre sonra babası kollarını gevşetti. "Gitme zamanım geldi."

Tekrar koltuğun altına girdim. Kararımı vermiştim.

"Görüşürüz baba."

"Görüşürüz Caroline."

"Seni seviyorum."

"Ben de seni Pook."

"Çabuk dön."

Babası kapıyı kapattı. Bir hava dalgası çarptı yüzüme. Bu Caroline'i son görüşümdü.

9

Hayat komik; en azından benimki öyle. İstediğim zaman birdenbire önüme bir cırcır böceğinin çıkması gibi tuhaf. Bölünen bir hücrenin, kiralık bir arabanın arka koltuğunun altında, yalnız ve korkmuş bir biçimde saklanan, iki bacaklı bir kurbağaya dönüşmesine neden olan bütün o inişli çıkışlı olayları düşündüğüm zaman, komik geliyor; ama gülmüyorum. Beynim zonkluyor, onun yerine. Neden iki bacağım olduğunu çok düşündüm, fakat anlayamadım. İki bacak. Dört bacak. Aralarındaki fark nedir? Çok saçma, çok aptalca geliyor.

Başka bir düşünce girdabı, beni bir dalganın ağzında taşıyor. Sudan çıkıyorum ve açıktaki, granit bir kayaya tırmanıyorum. Sığ gölde, damla damla eriyen bir buzulun aksini görüyorum. Uzakta, gökyüzüne doğru uzanan kupkuru bir dağ var. Bulutlar yavaş yavaş dönüyor zirvenin etrafında ve nem dolu bir havanın yarattığı akımla birlikte hızla aşağıya iniyor. Dağ parçalanıyor, keskin kaya parçalarının buzun yüzeyini kırması ve gürültüyle suya saçılması bir karmaşa yaratıyor. Göl dalgalanmaya başlıyor, sonra da katılaşıyor. Sıçrayan su damlaları donup kalıyor. Öylece hareketsiz oturuyorum, kımıldamadan. Rüzgar etrafımı sarıyor. Bedenime donmuş su ve pislik parçaları yağıyor. İşte bu acı anında, o anda, hayatımda ilk defa benzersiz yanımı kavrıyorum. Giriş, gelişme, sonuç. Sadece hikayeler böyle değildir; bu her canlının gerçek hikayesidir aynı zamanda; benim hikayemin.

Ne kadar yalnız olduğumu, artık hiçbir şeye ve hiç kimseye bağlı olmadığımı, beni arayan hiç kimse, geri dönebileceğim hiçbir yer olmadığını düşündükçe titriyorum. Acı beni değiştirdi. Eski derim soyulmaya başladı. Beni artık tanıyamayabilirsiniz. Bu araba benim hapishanem, ama ben hiçbir suç işlemedim.

III. Bölüm

1

"Annen ve baban bugün buraya gelip gelmeyeceğini bilmiyorlardı." Bay Levante yumuşak sandalyesinde arkasına yaslandı ve kurşun kalemle bir deftere bir şeyler yazdı. Sesi yumuşadı. "Bana, ne yaptığını anlattılar."

"Gerçekten mi?" dedi Claire, duygusuz bir ifadeyle.

"Çok endişeliler; haklı olarak. Senin bu konuda biriyle konuşman gerektiğini düşünüyorlar."

Claire omuz silkti. Bay Levante'nin ofisini inceledi, duvardan tavana kadar uzanan kitap raflarını taradı gözleriyle. Kitapların ciltlerinin zıt renklerine, üzerlerindeki süslü yazılara baktı. Bu kapakların içinde nelerin, ne tür fikirlerin saklı olduğunu merak etti.

"Claire, beni dinliyor musun?" Bay Levante not defterini kapattı ve masanın üzerine koydu.

Claire dikkatini, duvarlara serpiştirilmiş portrelere yöneltmişti. Resimlerin hiçbir özelliği yoktu; hepsi karakalemle çizilmişti. Sıradanlıkları ucuz çerçevelerle daha da pekişmişti. Dikkati adamın masasının arkasındaki uzun camlardan dışarıya kaydı. Küçük bir kuşun ağacın dalına konduğunu fark etti ve sadece iç güdüleriyle hareket eden bir hayvan olarak yaşamanın ne kadar kolay olabileceğini düşündü.

"Yaptığınla ilgileniyorum." Kızın dışarı bakmasını engellemek için Bay Levante sandalyesini Claire'in önüne doğru getirdi. "Bunu ilgi çekmek için mi yaptın?"

"İlgi!" diye tersledi Claire. Birdenbire adama doğru döndü. "Bu çok kaba bir tahmin. Hayır, istediğim en son şey birilerinin ilgisi. Eve döndüğüm zaman bir şey düşünmüyordum. Ne yazık ki babam oradaydı. Bir dahaki sefere kimsenin öğrenmesine izin vermeyeceğim."

"Hiç konuştun..."

"Şu anda konuşuyorum işte" diye sözünü kesti Claire.

"Diyecektim ki" diye kızın sözünü kesti Bay Levante, "konuşmak işe yarayabilir."

"Neye yarayacak? Benim yardıma ihtiyacım yok. Gayet iyiyim." Claire sandalyesine iyice yerleşti, kollarını kavuşturdu.

"Nasıl bir duygu olduğunu merak ettim sadece. Pek hayal edemiyorum da" dedi Bay Levante.

Claire, adamın açık sözlülüğü karşısında afallamıştı. "Pek rahat değildi, eğer merak ettiğin buysa. Canım acıdı."

"Çok mu?" diye sordu.

"Evet" dedi kız. "Bazen kendi canımızı acıtmamız gerekir, ta ki hiçbir şey hissetmeyene kadar. Sonra parçaları yeniden bir araya getirip ne anlama geldiklerini anlayabiliriz."

Bay Levante kaşlarını kaldırdı, defterine döndü ve çabucak bir şeyler not aldı. Sonra başını kaldırdı. "Bunun kulağa ne kadar tehlikeli geldiğinin farkında mısın, özellikle de ailen için?"

"Yaptığım gayet önemsiz bir şeydi. Tamam mı? Herkes abartıyor. Kendimi öldürmek istemek gibi bir şey değildi."

"Sadece bunu *neden* yaptığını anlamaya çalışıyorum. Kısa bir cevap. Sadece bir şey söyle, her hangi bir şey. Böylece durum aydınlanacaktır."

"Neden durumu aydınlatmak isteyeyim ki? Şimdiye kadar yaptığım en ilginç ve özgürleştirici şeydi." Hafifçe öne eğildi ve gözlerini Bay Levante'ye dikti. "Belki de tekrar yaparım."

"Claire... " dedi iç çekerek adam.

Kız tekrar arkasına yaslandı. "Ayrıca, bu senin fikrindi." Bir an durdu, adamın ne tepki vereceğini görmek için. "Bana verdiğin kitabı hatırlıyor musun? Hepsi orada yazıyordu."

Bay Levante düşünceli bir biçimde "Edebiyatı çok ciddiye alıyorsun. Bu iyi bir şey. Belki de okuman için sana verdiğim kitaplar konusunda biraz daha dikkatli olmalıyım" dedi.

Anlamlı bir biçimde birbirlerine baktılar, sonra Claire bakmayı bir omuz silkişle kesti. "O kitap hakkında daha fazla konuşmak istemiyorum. Neredeyse bir aydan uzun bir zamandır görüşüyoruz ve daha derslerimle ilgili neredeyse hiç konuşmadık. Buna yoğunlaşalım."

Bay Levante masasının çekmecesini açtı ve farklı bir kurşun kalem aldı. "Sana derslerinle ilgili yardım *ediyorum*. Ama eğitimin anlamı nedir ki nerede kullanacağını bilmezsen?" Defterine notlar almaya devam etti, ara ara konuşurken başını kaldırarak. "Sen çok iyi bir öğrencisin. Okulda başarılı olmak için gereken bütün becerilere şimdiden sahipsin. Ama bir hedef, ilgilenecek bir şeyler bulmalısın. Gereken sadece bu."

"Ne için gereken?"

"Her hafta burada, bu şekilde oturup konuşmayı sonuçlandırmak için." Sandalyesinden kalktı ve pencereye doğru yürüdü. Dışarıyı gösterdi. "Çayırın sonundaki şu kocaman kütüğü görüyor musun?"

Claire başını salladı ve omuz silkti.

"İçinden çıkan filizleri?" Sesi ciddileşti. "İnce ve kısalar. Daha fazla uzamıyorlar. Sadece bunlar değil, bu kıtadaki, bu türdeki bütün ağaçlar." Eliyle omuz genişliğinde bir kavis çizdi ve sonra Claire'e döndü. "Ne olduğunu biliyor musun?"

Claire ona ilgisiz bir biçimde baktı, başını iki yana salladı.

"Hepsi öldü, tek tek. Yaz başında, dağlarda beyaz çiçeklere saçak görevi yapan milyonlarcası vardı. Bu ağaçlar uzundu ve ev yapmak için bize çok sağlam kereste sağlıyordu. Tonlarca besleyici yemiş sarkardı dallarından; hem insanlar hem de hayvanlar için harika besinler. Fakat bunların hepsi geçmişte kaldı; artık kereste yok, kış için saklanacak yemişler yok. Dev bir ağaca dönüşme potansiyeli olan şu gördüğün sürgünler, birkaç yıla kalmadan ölecek."

"Neden? Ne oldu?" diye sordu Claire, dikkati dağılmış bir halde.

"Tesadüfen bir hastalık geldi Asya'dan. Sadece bu yerli kestane türünü öldüren bir mantar. Elli yıl içinde, bütün olgun kestane ağaçları öldü. Geride kalan gövdelerinden hâlâ yeni filizler çıkıyor, fakat çok yakında mantara yenik düşüp tohum dağıtacak olgunluğa ulaşmadan ölecekler. Geride sadece bu kurumuş kütükler kalacak."

"Tedavisi yok mu?"

"Biyologlar ağaçları hastalığa dayanıklı hale getirmek için çalışıyorlar."

Sandalyesine geri döndü. "İşte görüyorsun Claire, bazen çok küçük bir şeyin büyük ve hiç beklenmeyen sonuçları olabiliyor. Umarım bunu anlarsın. Yaptığın şu anda önemli görünmüyor olabilir, fakat daha ciddi bir şeylerin başlangıcı olabilir. Bu yüzden ailen endişeli. Bu yüzden ben endişeliyim."

Oda sessiz ve gergindi.

"Yaptığın şey, seni dönülmesi çok zor olan bir yola itebilir. Kaymaya başlarsın ve en dibe vurana kadar ne olduğunu anlamazsın. Sadece ne düşündüğünle ilgili bir şey öğrenmeye çalışıyorum, hepsi bu" diye devam etti.

Claire kinayeli bir biçimde ofladı. "Gerçekten ne düşündüğümü bilmek istiyor musun?"

Bay Levante başını öne doğru salladı. "Tabi ki" dedi.

"Pekala" diye tersledi Claire, "bu ağaçla ilgili hikayeyi biliyoruz çünkü ağaç çok büyük. Sanki 'burası benim yerim' yazan büyük bir uyarı levhasıyla çıkıyor topraktan ve öldüğü zaman yerde kocaman bir kütük bırakıyor. Peki ya hastalık, dünyaya yayılmak mantar için ne kadar büyük bir şans olmalı. Ya kestanelerden kalan yerleri dolduran diğer bitkilere ve ağaçlara ne demeli? Her şey bakış açısına göre değişir, öyle değil mi?"

Claire sandalyesinde öne doğru eğildi ve Bay Levante'ye bakarak devam etti. "Sadece bir kere bir seçim yaptım ve sen endişeleniyorsun. Durumu tam tersine çevirelim; neden hiçbir şey yapmamayı tercih ettiğim zamanlarda, hiç kimse endişelenmiyordu peki?"

Bay Levante gülümsedi ve defterini aldı. "Güzel, bilmek istediğim tek şey buydu."

2

Gün boyunca güneş arabayı ısıtınca, Ateş Karınlı, rehavetli bir biçimde sert ve kuru halıda gezindi ve kalan cırcır böceklerini aradı. Etrafa o kadar yayılmışlar ve iyice gizlenmişlerdi ki bir tanesini bulmak bile genellikle bütün gününü alıyordu. Gece olduğunda ise buz gibi hava, onu daha fazla hareket etmekten alıkoyduğu için koltuğun altındaki yerine dönüyordu. Umutsuz ve genellikle aç, bacaklarını iyice karnına çekiyor, gözlerini kapatıyor ve hayal kuruyordu.

Bir gece, berrak, ılık su dolu bir havuza atlamayı hayal etti, fakat o gülüp oynadıkça, su giderek daha yoğunlaşıyor ve katılaşıyordu. Eklem yerleri, hareket edemez hale gelene kadar yüzdü. Sonra hava kaskatı oldu soğuktan. Böcekler uçuşlarını yavaşlattılar ve birdenbire yere düştüler. Ertesi sabah uyandığında, cildi soğuk ve kuruydu. Rüyası, gerçek dünyadan tamamen kopuk değildi. Arabada kalan böcekler de gecenin dondurucu soğuğundan ölmüşlerdi.

Bu olaydan sonra, Ateş Karınlı arabayı keşfetmekten vazgeçti ve düşüncelerini iç dünyasına yöneltti. Saatler boyunca geçmişi düşünüyor, rahat, cırcır böceği dolu akvaryumunu ve küçük kızın, Caroline'in sesini hatırlıyordu. Sadece bir anlık için bile olsa, vahşi bir gölde ve belirsizlik içinde yaşamanın tadını hissetmenin nasıl bir duygu olduğunu öğrenme arzusunu hatırlıyordu. Sonra, dönüp arabaya bakıyor ve aptallığı yüzünden kendine lanet ediyordu.

En sonunda, gün ortasında hayal kurmaya olan ilgisini de kaybetti. Uyumak ve ara sıra fantastik rüyalar görmek, yaşamının en heyecan verici olayı haline geldi.

"Iıığğğ!" bir adamın sesi çınladı arabanın içinde.

"Burası iğrenç kokuyor."

Ateş Karınlı irkildi ve yavaşça gözlerini açtı. Ne kadar süredir derin, kış uykusunda olduğunu bilmiyordu. Kendine gelebilmek ve nerede olduğunu hatırlamak için ön ayaklarıyla gözlerini ovuşturdu. Bir iki kez göz kırptı ve daha iyi görebilmek için yerinden biraz ilerledi.

İnce çizgili gömlek giymiş kocaman bir adam direksiyonda oturuyordu. "Burada bir şey ölmüş" diye bağırdı. Burnunu buruşturdu ve camı açtı. Etrafına bakındı, kafasını iki yana salladı ve kocaman eliyle ön panele bir şaplak indirdi. Sonra arabadan dışarı çıktı ve kapıyı çarptı.

Aynı gün, mavi pantolonlu ve beyaz tişörtlü iki adam geldi. Türlü temizlik malzemeleri taşıyorlardı. Adamlardan biri bütün kapıları açtı ve döşemelere sprey sıktı. Diğerinin elinde bir süpürge hortumu vardı, arabanın dışında diz çöküp, yerdeki her şeyi vakumla çekmeye başladı. Ateş Karınlı saklanma yerinde kaldı, gergindi fakat emniyetteydi, bu durumda ne yapması gerektiğini, aynı zamanda onu bulurlarsa, ne yapabileceklerini düşünüyordu.

"Bak" dedi elinde süpürge olan adam. "Her yerde ölü cırcır böcekleri var."

"Evet" dedi diğeri. "İnsanlar ne kadar tuhaf şeyler yapıyorlar."

"Bir, iki, üç... " süpürgeli adam saymaya başladı.

"Burada da var."

"Beş, altı... " her bir böceği tek tek hortumla çekti.

"Yedi, sekiz... " ve hızla hortuma gönderdi.

Bu onlar için bir oyundu. Ateş Karınlı, gönülsüz bir oyuncu olmak istemiyordu. Bir kurbağa isteyip istemeyeceklerinden, hatta bir kurbağaya bakmayı bilip bilmediklerinden emin değildi. Kımıldamadan öylece yattı, adamları, büyük bir coşkuyla, iki bacaklı, küçük, yeşil bir şeyi süpürgeyle çekişlerini anlatırken hayal ederek.

Fakat nasıl olduysa, temizlik şanslı bir olaya dönüştü. Cırcır böceği bulma ve arabayı yıkama coşkusu içinde, sürücü camını tamamen kapatmayı unutmuşlardı. Arabadan içeri su sızmış ve yerdeki halıyı ıslatmıştı. Ateş Karınlı kirli sıvının içinde yuvarlandı. Su, o anda, onu yenileyen, umutlarını tazeleyen bir hediye gibiydi.

Sonraki birkaç günü, arabayı daha da detaylı bir biçimde keşfetmekle geçirdi. Yepyeni saklanma yerleri buldu ve her birinin ona sağlayacağı avantajları değerlendirdi. Yolcu kapısının yakınında bir yer vardı ki hem sürücüyü net bir biçimde görme olanağı sağlıyordu, hem de oradan dışarıya atlamak çok kolaydı.

Yerdeki tüm iyi saklanma noktalarını bulduğundan emin olunca, camlara tırmanmanın yollarını aramaya başladı. Uzaklarda güzel bir göl ya da gür, yeşil bir çayır olabileceğini hayal ediyordu. Kapının bir daha ki açılışında dışarı atlayabilir ve yeni evine giden yolu bulabilirdi.

Fakat her şey bir yana, dışarıyı görmek çok zordu. Başarısızlıkla sonuçlanan birkaç girişimden sonra, yan kapının önündeki düz çıkıntıya doğru tırmanmanın, oradan da ön panele çıkmanın bir yolunu buldu. Bu kadar iyi manzaralı bir yere ulaşma zaferi kısa ömürlü oldu. Gördüğü manzara pek de hoş değildi. Önünde, arabalardan oluşan metal ve soğuk bir deniz ve dört bir yana doğru, sonsuzmuş gibi görünen, siyah bir asfalt yol uzanıyordu.

Manzara her ne kadar iç karartıcı olsa da birbirlerine karışan kalabalık insan yığınlarının soytarılıkları gerçekten çok eğlenceliydi. Eğer uçağa bineceklerse, bütün kapıları açıyor, bütün bavulları yerlere bırakıyor ve sabırsızca otobüsün gelmesini bekliyorlardı. Uçaktan inmişlerse, bagajlarını arabaya yüklemeye girişiyorlardı. Bu telaş içinde bazen koca bir bavulu kaldırımda unuturlardı.

Bir gün birisi, üzeri çok şık bir biçimde süslenmiş bir kitabı, bir yığın kağıdın arasından düşürdü. Ateş Karınlı, onlarca insanın kitabın yanından geçip onu bir türlü fark etmeyişlerini ya da görmezden gelişlerini seyretti. Kitap, berrak bir gölde yüzen yalnız bir yaprak gibi uzun süre yerde kaldı. Rüzgarın kitabın sayfalarını yıpratışını, hafifçe çiseleyen yağmurun onu lekeleyişini ve güneşin cildini soldurmaya başlamasını izledi. Orada yalnız başına ve fark edilmeden yatan kitapla özdeşleşmeye başladı.

Günlerden sonra beklenmedik bir şekilde, genç bir kadın kitaba doğru yürüdü ve durdu. Eğildi, kitabı yerden aldı ve nazikçe ellerini kapağında gezdirdi. Çevirerek sayfalarına göz attı, bir süre okuyarak hareketsiz kaldı. Sonra bavulunu açtı, kitabı içine attı ve yoluna devam etti.

3

Claire ilkokulda, radyatörün üstünde boya kalemlerini eritirken yakalanmıştı. Öğretmen onu sırasına oturtup daha iyi bir seçim yapması hakkında düşünmesini istedi. Claire dikkatle davranışını düşündü, sonra mavi boya kaleminin nasıl da hemen sıvılaştığını ve üzerine ne kadar çok bastırırsa o kadar çabuk eridiğini. Radyatör demirinin girintilerini takip ederek aşağıya kadar inen, yavaş yavaş akan boya dereciğini ve nasıl da bir sabah yaprağının üzerindeki çiğ tanesi gibi asılı kaldığını düşündü. Yeşil boya kaleminin, mavinin yanında nasıl da çentikli bir yol oluşturduğunu, aşağıya doğru zikzaklar çizerek indiğini ve birbirlerine karışırlarken yeşilimtırak damarlar meydana geldiğini düşündü. Damlaların birbirine karışmasını, yere akmasını ve yoğun, yanardöner, donmuş, zümrüt yeşili bir göl oluşturmasını düşündü. Daha iyi bir seçimin ne olabileceğini düşünmeye çalıştı, fakat bulamadı.

Claire ortaokulda, yakınlardaki büyük bir mağazadan bir bilezik çalmıştı. Babası bileziği kolunda görmüş ve onu sorguya çekmişti. İlk başlarda bileziğin bir arkadaşından hediye olduğunu söylemişti, fakat babası inkâr edemeyeceği bir takım deliller öne sürdüğü zaman gerçeği itiraf etmişti. Claire mağaza yetkilisine gidip bileziği geri verdiği sırada, babası utanç içinde gizlice takip etmişti onu ve o gece, Claire'e yaptığı seçim ve sonuçları hakkında düşünmesi gerektiğini söylemişti. Buna değmiş miydi? Claire odasında oturmuş, bileziğin bileğinde yarattığı hissi, yürüdükçe adi plastik gibi sallanışını düşünmüştü. Okuldaki arkadaşları bileziğin zerafeti hakkında yorumlarda bulunmuşlardı. Onu nereden aldığını sormuşlardı. Oğlanlardan biri bile gerçekten çok güzel olduğunu söylememişti. Daha iyi bir seçimin ne olabileceğini düşünmeye çalıştı, fakat bulamadı.

Claire lisede, bir insan özgür değilse eğer, yanlış bir hareketinden dolayı suçlu bulunup bulunamayacağını merak etti. İnsanların aslında masum oldukları korkunç suçlar hakkında okumaya başladı; suçu işlediklerine dair herhangi bir şüphe olduğu için değil, jüri onların iradeleri dışında başka bir takım güçler tarafından yönetildiklerine karar verdiği için yargılanıyorlardı. Avukatlar, suçun işlendiği sırada müvekkillerinin doğruyu yanlıştan ayırt edemez halde olduğunu ortaya koyuyorlardı ayrıntılı bir biçimde. Onlar özgür değillerdi, isteyerek yapmış olamazlardı, o halde yaptıkları şey için cezalandırılamazlardı.

Yiyecek seçimi, arkadaş seçimi, zamanımızı nasıl geçireceğimize dair seçimlerimiz gibi gündelik seçimler hakkında kararlar vermeleri için avukatları ve jürileri bir araya getirsek ne olurdu? Özgür olduğumuzu, bu yüzden de suçlu olduğumuzu mu söylerlerdi bize? Bu eylemler kaçınılmaz mıdır; sırf bu yüzden de masum mu oluruz? Aç bir köpeğin önüne et koyun; hepimiz biliyoruz ne yapacağını.

Claire, özgürce seçim yapmanın, insanları iyi şeyler yaptıkları için suçlamanın ne demek olduğunu bulmak için bir yaşam jürisi toplamak istiyordu. Yüksek bir not almak için günlerce çalışan bir öğrenci, çalışmadığı halde aynı notu alan öğrenciden farklı bir seçim yapmıştır. Özgür irade ve niyet olmadan elde edilen başarı, bir tesadüftür sadece. Birinci olmak sadece bir akademik başarıdır; bir deha robot bunu başarabilir. Üçüncü olmaksa, psikolojik bir başarıdır ve neyin, insanları harekete geçmek için motive ettiğini anlamayı gerektirir.

Claire, lisenin ilk yılında, yüksek not gibi bir ödülle motive olmuyordu artık. Neden eğer kendisi not vermesi gerekse, zayıf not vereceği insanlar tarafından ölçülmesi gerekiyordu ki? Ebeveynleri ve öğretmenleri, okul başarı grafiğindeki hızlı düşüşe, giderek artan sessizliğine ve kavgacılığına cevaplar bulmaya çalışırken, Claire ya mutlak bir sessizlik ya da gülünç olma sınırındaki muammalı bir takım cevaplarıyla onları bezdiriyordu.

Okul yönetimi, Claire'in okul danışmanlarından biriyle haftada bir görüşmesini önerdi. Umut edilen, onun derslerden kopmamasını sağlamak, aynı zamanda sosyal sorunlarını paylaşabileceği bir ortam oluşturmaktı. İngilizce öğretmenlerinden biri, Bay Levante tavsiye edilmişti.

Claire ilk buluşmaya geç kaldı.

Bay Levante ona en çok hangi konuda yardıma ihtiyacı olduğunu sordu.

"Bir şeyleri kırmak" dedi Claire.

"Burası başlangıç için iyi bir yer. Sadece benim odamda bunu yapmayı deneme" dedi. Bay Levante kahkahayla güldü.

"Komik mi şimdi bu?"

Adamın yüz ifadesi birdenbire değişti ve gülmesi aniden kesildi. "Bak Claire, benim de bu durumu senden daha ilginç bulduğum söylenemez. Bence, her sınavı sana hatırlatmam ne gerekli, ne de yararlı. Gerçekte ne düşündüğümü merak ediyor musun?"

Claire elleriyle bir hareket yaptı, umursamaz bir tavırla.

"İlkokuldan bu yana bütün notlarına göz attım ve birkaç öğretmeninle görüştüm..."

"Ne kadar da meraklı..."

"Bence sen öğrenmeyi çok seviyorsun, fakat öğrenmenin sana sağlayacaklarına ilgi duymuyorsun; kariyer, iyi bir iş."

"Olabilir" dedi Claire kafasını çevirerek, belli belirsiz bir onaylamayla.

"Tamam. Pek çok insan hayatta bu tür şeylere tav olmaz. Bence senin, tutkuyla ve derinine inerek öğrenmek istediğin pek çok şey var. Okul müfredatında yer almayan farklı fikirler hakkında düşünüyorsun. Ben de seninle birlikte bunları keşfetmek isterim. Yanılıyor da olabilirim tabi. Göreceğiz... "

Claire omuz silkti.

"Bu arada, Claire" dedi Bay Levante el hareketleriyle. "Sana bir şeyleri nasıl kıracağını göstermek isterim, özellikle de en zor kırılan soyut şeyleri; kötü bir alışkanlık gibi mesela. Önümüzdeki hafta, senin şu geç kalma alışkanlığını kırarak başlayalım."

4

"Rahat bırak beni... Ben kendim yapacağım." Claire'in yanaklarından aşağıya bir damla yaş süzüldü ve toprağa damladı.

"Üzgünüm" dedi babası, elini kızının omzuna koyarak.

Kız itti babasının elini. "Üzgünsün! Söyleyeceğin tek şey bu mu?"

"Yapabileceğim hiçbir şey yoktu. Bir kazaydı" dedi, kızını olduğu kadar kendini de ikna etmeye çalışarak. Araba önündekine yapışmıştı. Çarpışma Ruffles'ı ön panele fırlatmıştı. Metallerin birbirine sürtünüşü hâlâ kulağında çınlıyordu, Claire'in Ruffles'ın pelte gibi ve cansız bedenini kucağına alırkenki yüz ifadesi zihnine kazınmıştı.

"Onu kendim gömeceğim" dedi Claire. "Git buradan. O benim köpeğimdi, senin değil."

. "Üzgün olduğunu biliyorum..." dedi babası, köpeği gömmesine yardım etmek için çömelerek.

"Beni... yalnız bırakır mısın?" Sesi titriyordu.

Babası yerden bir miktar daha toprak aldı. Kızına baktı. Avucunu açıp toprağın parmaklarının arasından kaymasını izledi. "Bu gece konuşabiliriz, tamam mı?" Çömeldi ve kızının dikkatle bir malayla toprağı kazarak bir mezar yapmaya çalışırken, yüzündeki duygu yoğunluğuna baktı. Kızının ellerindeki toprak ve yanaklarındaki çamurdan çizgiler, ona Claire'in birkaç hafta önce yaptığı şeyi hatırlattı. "İyi misin?" diye sordu kızına.

Claire onu duymamazlıktan geldi ve kazmaya devam etti.

"Biraz sonra gelirim" dedi. "Arabam tamir olurken başka bir araba almam gerekiyor."

"Başka bir araba!" Ellerini topraktan kaldırıp beline koydu. Babasına döndü. "Bu kadar basit yani."

"Bir şekilde işe gitmem gerekiyor" dedi adam.

Birdenbire ayağa kalktı ve babasına doğru yöneldi sanki onu düelloya davet eder gibi. "Araban tamir edilebilir, her bir göçük doldurulabilir, her çizik boyanabilir. Herşey eskisi gibi olacak, kimse ne olduğunu anlayamayacak; ama *bir şey oldu.*" Döndü, birden konuşmaktan vazgeçti. "Git, yeni arabanı al." Babası bir süre tereddüt etti ve sonra gitti.

Ateş Karınlı ön panelde tembel tembel yatıyordu. Sıra sıra dizili arabalardan oluşan manzaraya bakarken ve güneşin bedenine vuran sıcaklığının tadını çıkarırken, yalnızca hatıralarda kalan konforunu düşündü.

Kayıtsız otururken, uzaktan beyaz gömlekli bir adamın, park edilmiş arabaların etrafından zikzak çizerek geldiğini fark etti. Sonunda adam, arabanın yanında durdu, elindeki anahtarıyla oynamaya başladı. Ateş Karınlı yolcu koltuğuna atladı, havaya doğru sıçradı, takla attı ve yere indi. Kapı açılır açılmaz, deliğine kaçtı.

Adam yavaşça sürücü koltuğuna oturdu. Ellerini direksiyonun en tepesinden aşağıya doğru gezdirdi. Bir anlığına gözlerini yumarak ve başını öne eğerek ölçülü ve sakin bir şekilde burnundan nefes verdi. Sonra camdan dışarı bakarak derin bir nefes aldı ve arabayı çalıştırdı.

Ateş Karınlı, hareket ve beraberinde getireceği sonuçlar karşısında, ani bir heyecan duydu. Onu yakında özgür bırakacak olan bu adamı daha yakından görebilmek için saklandığı yerden yavaşça başını uzattı. Yüzü düşünceli, aynı zamanda dikkati dağılmış ve zihni çok meşgul birinin yüzü gibiydi. Ayakkabılarından birinin bağcığı açıktı ve çorapları birbirinin eşi değildi. Pantolonunun dizlerinde toprak, beyaz gömleğinde lekeler vardı. Bir kurbağanın, bu adam için ne ifade edeceğini anlamak kolay değildi; hoş bir sürpriz ya da iğrenç bir ceza.

Adam bütün camları açtı. İçerideki kötü kokular, beraberinde pek çok böcek getiren, taze ve ferah bir havaya bıraktı yerini. Bir sinek içeriye sürüklenmiş ve arka cama çarpmıştı. Sersemce sendeleyerek önce arka koltuğa, oradan da yere düşmüştü. Ateş Karınlı, hayvanın amaçsızca gezinişini seyretti. Bacak kasları gerildi. Vızıldayan sineğe bir sürü başka böcek de katıldı. Ne yapacağına karar vermek için daha sonra zamanı olacaktı, fakat o anda, çok daha fazla ihtiyaç duyduğu yemek macerası hemen önünde uzanıyordu. Koltuğun altından çıktı ve böceklerden birini yakaladı. Tamamen doyana ve uykusu bastırana kadar avlanmaya devam etti, sonra da saklanma yerine geri dönüp uykuya daldı.

Arabanın kapısının çarpması uyandırdı Ateş Karınlı'yı. Gözlerini açtı. Uzaklaşan ayak seslerini dinledi. Araba artık boştu.

Böcekleri tadı öyle güzeldi ki. Onların sayesinde doymuştu ve mutluydu. Belki de bir arabada yaşamak artık o kadar da problem olmayacaktı. Ön panele tırmandı ve etrafa bakındı. Araba, iki katlı, beyaz bir evin önündeki yolda park edilmişti. Evin sandalyeler koyulmuş bir verandası ve geniş bir penceresi vardı. Tuğla döşenmiş yol, evin önündeki kaldırıma doğru uzanıyordu. Etrafta birbirinden güzel, türlü türlü gür bitkileri, gölge veren ağaçları ve sık çalılıkları görünce rahatlamıştı.

Uzun boylu bir kız evin kapısında durmuş arabaya bakıyordu. Saçları düzdü ve dağınık bir biçimde omuzlarına iniyordu. Başparmakları kırışık, bej rengi pantolonunun ceplerine takılıydı. Gözleriyle yoğunlaşmış, dikkatle inceliyordu arabayı, sanki içinde istediği bir şey varmış gibi seyrediyordu.

Ateş Karınlı ani bir endişe duydu. Kız, belki de onu görmüştü. Öyle bir bakışı vardı ki arabada tuhaf bir şey olduğunu biliyor gibiydi. Ateş Karınlı nefesini tuttu ve bekledi. Kız daha da yakına gelip kapıyı açarsa, belki de...

Kız birdenbire arkasını döndü ve eve girdi.

Ateş Karınlı ta ki karanlık çökene kadar oturup dışarıyı seyretti. Sonra, koltuğun altındaki saklanma yerine döndü. Yeni ve muhteşem rüyalarla dolu bir gece geçirdi, yakın geçmişe ait, eski ve sıradan rüyalar yoktu artık. Rüyasında bulunduğunu, bir mağaza camekanının arkasında sergilenen evcil bir hayvan olduğunu, popüler bir tartışma konusuna ve iyi şans getirdiğine inanılan bir şeye dönüştüğünü gördü. Dış dünyaya doğru zıpladığını, kanatlarının çıktığını, uçup ağaçların tepelerine konduğunu, gölleri ve ormanları tepeden izlediğini gördü. Asil bir şövalyeye dönüştüğünü, sesinin tüm dünyada duyulduğunu gördü.

5

Claire'in ayak sesleri iyice parlatılmış mermer zeminde yankılandı. Koridor biraz sonra öğrencilerin gürültüleriyle çınlayacaktı. Bay Levante'nin odasının önünde durdu. O daha kapıya vurmaya fırsat bulamadan, kapı açıldı.

"Geldiğini duydum" dedi Bay Levante. "Geç kalma alışkanlığının hâlâ kırılması gerekiyor."

Claire saatine baktı. "Sadece birkaç dakika. Bunu tam zamanında diye kabul ederim."

"Tam zamanında diye bir şey yoktur. Ya geç kalmışsındır, ya da erken gelmişsindir. *Tam zamanında* dediğin şey, yelkovanın saatin kadranı üzerinde ilerleyip geçmesidir. Eğer geç kalmamışsan, diğer seçenek erken gelmektir." Bay Levante oturması için işaret etti.

"Her neyse" dedi Claire. Gözlerini devirdi ve adamın yanından yürüyüp geçti.

"Geçen hafta okul nasıldı?" diye sordu Bay Levante.

"Fena değildi."

"Gerçekten mi?" diye sordu sandalyesini döndürüp masasından birkaç kağıt alarak. "Bir iki öğretmeninle konuştum. Bazı derslere girmemişsin. Bana ödevlerinin eksik olduğunu söylediler. Notların düşecek gibi görünüyor."

Claire sandalyesinde arkasına yaslandı ve boynunu iki yana doğru esnetti. "Okul beni pek ilgilendirmiyor."

"Evet, bunu bana daha önce söylemiştin." Claire'in dosyasını alıp bakmaya başladı. "İşte burada kalmışız geçen hafta. Bir bakayım... Ne yapacağımızla ilgili iyi bir fikir, diğer bir deyişle bir plan bulmaya çalışıyorum." Dosyaya birkaç işaretleme yaptı ve sonra başını kaldırdı. "Bana sormak istediğin bir şey var mı?"

"Hayır."

"Tamam, o zaman, benim sana birkaç sorum var... Bana arkadaşlarından bahseder misin? Onlarla aran nasıl?"

"İyi."

"İyi. Hepsi bu mu?"

"Bu."

"Ne hakkında konuşursunuz?"

Claire iç çekti ve saatine baktı. "Gerçekten bitirmem gereken bir ödevim var. Notlarımın daha fazla düşmesini istemiyorum. Verimli bir şeyler yapmayı tercih ederim."

"Güzel. Biz bıraktığımız zaman bitirebilirsin."

"İyi." Claire birden sandalyesinin arkasına yaslandı ve camdan dışarıya baktı.

"Bana biraz arkadaşlarından bahset. Tamam mı?"

"Arkadaşlarımdan mı?" diye sordu Claire.

"Evet, arkadaşlarından."

"Iıı... Benim kıyafetlerim hakkında konuşuyorlar."

"Pardon... Kıyafetlerin mi?" Bay Levante şaşırmış görünüyordu.

"Neyden bahsettiklerini sordun... Aynı kıyafeti ne kadar da sık giydiğimden bahsediyorlar."

"Sen ne hissediyorsun bu durumda?"

"Bunları dinlemek istemiyorum. Göçebe gibi, bir evden diğerine kıyafetlerimi götürüp getirmek istemiyorum. Bazen aynı kıyafeti giymek daha kolay oluyor. Ama onlar bunun farkında değiller, bunu anladıklarını bile zannetmiyorum."

"Annen baban ayrı mı yaşıyor?"

"Evet, öyle olduğunu biliyorsun. Bunun okul kayıtlarında yer aldığından eminim."

"Bu konuda söylemek istediğin bir şey var mı?"

"Oradan oraya gitmeyi öylesine yapıyorum... Üzerinde fazla düşünmüyorum. Başka bir şeyden bahsedebilir miyiz?"

"Bazı zamanlarda zor olmalı" dedi Bay Levante.

"Rahat değil, hepsi bu" dedi Claire. "Bazen bir şeyimi bir

yerde unutuyorum ya da telefonla arayanlar bana ulaşamıyor. Ama bu tür şeyler nerede yaşarsam yaşayayım, olabilir."

"Bu konuda bir şey hissediyor olmalısın."

"Evet, bazen çok yararlı olabildiğini hissediyorum" dedi Claire hafif bir alaycılıkla. "Tatillerin ve doğum günü hediyelerinin iki katına sahip olabiliyorum ve bir şey yapmak ya da bir yere gitmek istediğimde iki ayrı seçenek oluyor."

"Ama hiç öfke duymuyor musun?" dedi Bay Levante.

Claire kafasını iki yana salladı. "Hiçbir şey hissetmiyorum. Bu duruma alışkınım. Bunu tıpkı göç eden bir hayvan gibi yapıyorum. Hepsi bu."

"Arkadaşların bu konuda konuşuyor mu?"

Claire arkaya doğru kaykıldı ve kollarını bağladı. "Sanırım evet; ama gerçekten *hiç* umurumda değil."

"Gerçekten mi?"

"Gerçekten. İnsanlar dedikodularının yapılmasından hoşlanmazlar, bu çok büyük bir buluş değil. Ama oluyor işte, öyleyse en iyisi bu durumu aşmaya çalışmak."

"Claire, benim sorduğum..."

Claire birdenbire sandalyesinde hareket etti ve dik oturdu. "Sana arkadaşlarım ve kendim hakkında en çok merak ettiğim şeyi söyleyeyim."

"Evet" dedi, kalemini masaya bırakarak.

"Gerçekten merak ettiğim, neden onların alaylarını dinlediğim. Neden onları görmezden gelemiyorum? Neden onların yanına sokulup ne söylediklerini dinlemeye çalışıyorum? Onların kahkahaları ne kadar yükselirse, benim de ne konuştuklarını öğrenme isteğim o kadar artıyor.

"Belki..."

"Yürüyüp gidebilirim" diye sözünü kesti Claire, "Fakat yapmıyorum. Yapamıyorum. Nedenini biliyor musun?"

Bay Levante ellerini iki yana açtı ve Claire'in kendi sorusuna kendisinin cevap vermesi için bekledi.

"Ne zaman bir kaza olsa, olay yolun karşısında bile olsa, sürücülerin neden yavaşladığını merak ediyorum. İnsanlar neden korku filmlerine giderler, kabus göreceklerini bildikleri halde? Neden dönüp bakıyorum, yakışıklı bir çocuk sokakta yanımdan geçtiği zaman? Bir şeyin sivri bir kenarı varsa, neden dokunmak istiyorum ona?"

Bay Levante kalemini ve not defterini aldı. Ona bakmadan konuşmaya başladı. "Hayatın zorluklarıyla mücadele edebilmek için gerekli olan özdeğer ve mutluluk duygularını geliştirebilmektir önemli olan. Kendimize ve başkalarına saygı duymayı öğrendiğimiz ve davranışlarımızın sorumluluğunu almayı kabul ettiğimiz zaman, tek bir kötü söz bizi yolumuzdan döndüremez."

Claire homurdandı. "Bunu daha önce başka bir okul danışmanından da duymuştum, neredeyse kelimesi kelimesine hem de. Ergenler için yazılmış bir kişisel gelişim kitabından alıntı gibi. Her zaman, aynı şeyi, aynı ışıkla arıyor ve aynı çözümü buluyorsunuz; bu koltukta kim oturursa otursun. Sadece tek bir senaryo bilen bir oyuncu gibisiniz. Her ne kadar ben *herhangi biri* olamasam da siz beni *herhangi biri* haline getirmeye çalışıyorsunuz. Yapabildiğiniz en iyi şey bu, tek şey bu."

"Claire... Umarım yapabildiğim *tek* şey bu değildir." Hafifçe not defterinin üzerine vurdu. "Senin bu şekilde, tutkuyla ve dünyaya karşı öfkeyle konuştuğunu duymak çok güzel. Ama sesinde, senin fark edemeyeceğin bir belirsizlik var. Bazen insanlar kızgınken, korkarlar da aynı zamanda."

Claire bir süre dikkatle düşündü ve sonra cevap verdi.

"Beni neyin korkuttuğunu biliyor musun?" Claire durakladı ve öne eğildi. "Hızla yokuş aşağıya inen iki arabayı birbirinden ayıran sarı çizgi. Sürücüler önlerindeki seçeneğin farkına varırlar mı, direksiyonu ani bir şekilde çevirmenin, her şeyi nasıl değiştireceğinin? İnsanların sahip oldukları seçeneklerden, benim sahip olduğum seçeneklerden korkuyorum. Yakında ben de ehliyet alacağım ve o sarı çizgiyle karşı karşıya geleceğim."

"Sen ehliyet almasan daha iyi olacak gibi sanki." Bay Levante gülümsedi, söylediği şeyin dramatikliğini mümkün olduğunca azaltmaya çalışarak. "Seni korkutan başka bir şey var mı?" diye sordu.

Claire derin bir nefes aldı. Duygusuz bir ifadeyle, "kaldırım" diye cevap verdi.

"Kaldırım mı?" diye sordu Bay Levante. "Kaldırımın yanındaki arabalar mı demek istiyorsun?"

"Hayır, kaldırım demek istiyorum. Orada durduğum zaman, dev bir kanyona açılan bir kayanın ucu olarak hayal ediyorum onu."

"Ama, değil... Doğru mu?"

"Tabi ki değil. Kaldırım boyunca hoplayabilir, zıplayabilir, dans edebilir ama asla düşmem. Ama bir kayanın kenarında dursam, hareket edemem. Fark nedir? Sadece olasılıklar farklı. Kayanın üzerinde, asla kaldırımın üzerinde olduğum kadar güvende olamam. Tek bir adımın hayatımı değiştirebileceğini fark ettiğim zaman, korkmaya başlarım, hiçbir yere adım atamayacak olmaktan endişe duyarım. Bir kaya ve kaldırım arasındaki tek fark, benim ne düşündüğümdür."

"Genellikle böyle mi hissedersin?" diye sordu.

Claire kafasını geriye attı, sonra birden bire öne doğru atıldı. "Anlamıyor musun? Bu konuda hiçbir şey *hissetmiyorum*. Hep aynı sorunun sorulmasından bıktım. Sadece *düşünüyorum*; yaptığım tek şey bu. Evet, bir problemim var; eğer öyle nitelendirmek istiyorsan. Bütün bitkiler, hayvanlar insanlar ve kayalar yok olduğu zaman, geride ne kalacağını merak ediyorum. Rengi, şekli, boyutu, dokuyu, kokuyu çıkardığın zaman, geride ne kalır? İsimlendirdiğiniz her şey yok olduğu ve hayatımızdan çıkarıldığı zaman, ne kalır geriye? Benden geriye ne kalır?"

Elleri titredi, sesi titremeye başladı.

"Claire, şu anda neden bu kadar rahatsızsın?"

"Kendimi kötü hissediyorum. Midem bulanıyor."

Claire öne doğru eğildi ve gözlerini kapattı.

Sürekli kendini tekrar eden bir görüntü beyninin içinde dönüp durmaya başlıyor. Sivri çakıl taşlarıyla kaplı bir düzlüğe dökülmüş, yoğun, kaygan bir sıvı gibi, geniş bir alana yayılan, şekli olmayan bir görüntü. Önce onu kovalamaya, sonra ondan kurtulmaya çalışıyor. Tam yakaladığı sırada, o şey ellerinden kayıyor, ufkun sonuna kadar uzanan, geniş bir çöle kaçıyor. Burası mutlak sessizliğin ve hareketsizliğin hakim olduğu bomboş bir alan. Etrafına bakınıyor, görebileceği, tanıyabileceği, tutunabileceği herhangi bir şey bulabilmek için araştırıyor boş alanı. Yaşamındaki rahatsızlığın ve karmaşanın nedenini anlamaya başladığı zaman, etrafını çevreleyen boşluğun durağanlığı, görüş alanında zıplayan bir şey tarafından kırılıyor. Geride, kumun üzerindeki belli belirsiz izler dışında bir şey bırakmadan ufkun ötesinde kayboluyor.

Arabadaki birinin sesi şaşkına döndürmüştü Ateş Karınlı'yı. Uyku mahmurluğunu atmak ve uyanık olduğuna kendini ikna etmek için gözlerini ovuşturdu. En son yediği böceklerin tadını hatırlayarak birkaç kez yutkundu, sonra da saklandığı yerden çıktı.

Sürücü koltuğunda genç bir kız oturuyordu. Pürüzsüz yüzünde mimik çizgileri henüz oluşmamıştı. Mutlu mu yoksa üzgün mü, kızgın mı yoksa memnun mu olduğunu anlamak kolay değildi.

Kız beyaz yakalı gömleğinin üzerine attı saçlarını, sonra ellerini öne uzatıp direksiyonu tuttu. Ağzı sımsıkı kapalıydı. Başı dimdikti. Uzaklarda saklanmış bir şeyi ayırt etmeye çalışıyormuş gibi ön camdan dışarı baktı.

Uzun süren dalgın bakışına bir son verdi ve öyle büyük bir hızla çiklet çiğnemeye başladı ki dişleri gıcırdıyor gibiydi adeta. Kaşlarından süzülen ter damlalarını sildi. Ellerine baktı ve sonra öne arkaya pantolonuna silmeye başladı, sanki ellerini kirden nemden ya da belki de suçtan arındırmak istercesine sürtüyordu.

Kucağındaki bir tomar anahtarı aldı, salladı ve sonra anahtarı kontağa soktu. Hızla camları açtı, çikletini dışarı fırlattı ve arabayı çalıştırdı. Araba arkaya doğru yalpaladı, boş sokakta bir daire çizip yoldan çıktı. Sonra araba boşta çalıştı; motor birkaç kez devir yaptı. Claire eve baktı. "Yapacağım" diye mırıldandı. Tekerleklerden tiz bir ses çıktı, araba öne doğru sarsıldı ve çalışmaya başladı.

Ateş Karınlı koltuğun altına saklandı, ta ki hayal meyal bir şeyler görmeye başlayana kadar. Daha önce hiç bu kadar gergin birini görmemişti. Kız, korkunç ve sert görünüyordu.

Claire arka koltuğa uzandı, ağzı büzgülü büyük çantasını aldı, yanındaki koltuğa koydu ve içinden küçük bir oyuncak ayı çıkardı. "Düğme" dedi, "sen onur konuğu olabilirsin." Ayıcığın boynuna mavi puantiyeli bir eşarp doladı, parmaklarını çıkıntılı, pürüzsüz, ortası siyah gözlerinde gezdirdi. Ayıcığın bacaklarını oturabilecek şekilde büktü ve onu ön panele, direksiyonun hemen sağına yerleştirdi. Kafası ve yarım ay şeklindeki kulakları cama yaslanıyordu.

"Umarım rahatsındır. Bu yolculuğun ne kadar süreceğinden emin değilim. Başka bir göl bulacağız."

Yol, pek çok kavşak, trafik lambası olan şehir sokaklarından, kenarında sık bitkilerin ve ağaçların olduğu dört şeritli otobana dönüşerek devam etti. Uzaktaki gökyüzü ılık ve maviydi, doğan güneşin etkisiyle rengi daha da açılıyordu. Nemli bir hava dalgası, arabadaki kokuları devir daim ediyordu.

Claire ara ara ön panelde bir maskot ya da belki bir tılsım gibi oturan oyuncak ayısına bakıyor ve onunla konuşuyordu. Hızlı hızlı bir şeyler söylüyor ve sonra susuyordu.

"Düğme" dedi, sanki oyuncak ayısı cevap verecekmiş gibi. "Pikniklerimizi hatırlıyor musun? Sana kumaş elbise giydirir ve pusetle gezintiye çıkarırdım. Büyük bir akçaağacın altında dururduk. Kareli bir masa örtüsü yayar, peçeteler, tabaklar, çatal bıçak ve yiyecekleri dizerdim. Neredeyse bütün günü dışarıda geçirirdik. Bu da başka bir gezinti, biraz daha maceralı, o kadar."

"Ruffles'ın havladığını duymadın bugün, değil mi?" Durdu. Sesi zorlanmaya başladı. "Bir anda sonsuza dek kayboldu. Babam kaza olduğunu söylüyor... O zaman, benim bu arabayı almam da kaza."

Dişlerini gıcırdattı. Öfke sesini değiştirmişti. Direksiyonu o kadar sıkı tutuyordu ki kollarındaki damarlar çıkıyordu. Elleri titremeye başladı. Yanaklarından aşağıya göz yaşları süzüldü, bluzuna damladı.

Araba birden sola saptı. Lastikler tiz bir ses çıkardı. Ayıcık yana devrildi. Çabucak direksiyona sıkıca asıldı. "Afedersin." Ayıyı tekrar düzeltti. "Konuşabileceğim bir sen varsın."

Ateş Karınlı gizlice yolcu koltuğuna tırmandı ve kızın çantasının arkasına yerleşti. Onu profilden görmek istiyordu. El kol hareketleri, yüzündeki ifadeleriyle belki de ele verirdi niyetini ve karakterini.

O kadar öfkeli görünüyordu ki sanki bir kurbağa görse çığlık atar, onu arabadan dışarı fırlatır ve üzerine basardı. Ön kapıya baktı ve dışarı çıkabilmek için kaç defa zıplaması gerektiğini saydı; iki belki de üç. Çok hızlı zıplayabilirdi, o zaman belki de onu fark etmezdi.

"Rakamlar." Başını tiksintiyle iki yana salladı, sesinden alay seziliyordu. Kontrol panelinde bir uyarı lambası yandı. "Görünüşe göre, baba bizi benzinsiz bırakmış."

Düğme'ye baktı ve elini alnına sürttü. "Nefret ediyorum bu durumdan... önemsiz şeylerle değişikliğe uğrayan büyük planlar. Başlangıç noktamdan sadece birkaç kilometre uzakta, yolun kenarında kalacağım. Benzinin bitmesi, ne saçma bir şey. Öyle değil mi Düğme? Bu tür konularda dikkatli olmam gerekir."

Sağ elini çantasına daldırdı ve parmaklarıyla aramaya başladı. Ateş Karınlı çantanın bedenine dayandığını hissetti. Büzüldü ve bacaklarını kendine doğru çekti.

"Burada biraz var" dedi, bir miktar para çıkararak. "Arabayı beslememiz gerekiyor; bir şeyler alayım da kendimizi de besleyelim."

Bir sonraki çıkışta, yan tarafında market olan bir benzin istasyonunda durdu. Uzun boylu ve hoş görünümlü bir adam arabaya yaklaştı. "Yardımcı olabilir miyim hanımefendi?" diye sordu pürüzsüz, tatlı bir sesle. Arabaya yaslandı, gülümsedi.

Yüzü kızardı. "Iıı... " diye kekeledi. "Daha önce kimse bana hanımefendi dememişti" dedi. Duruşunu değiştirdi ve adama baktı. "Bana Claire de. İstediğim... ihtiyacım olan şey... köpeğimi bulmama yardım etmeniz."

"O kayıp mı?"

"Sayılır. Uzun hikaye." Gülümsedi. Adamın ne kadar güçlü ve kendinden emin göründüğünü düşündü, asla araba çalıp evden kaçacak bir tip değildi. Hayır, gereğinden fazla düzgün ve kibar biriydi, her zaman uygun hareket etmek ve insanlara yardım etmek gibi konuları önemsiyordu. Kafasını çevirdi. "Normal benzin doldurun. Hemen geliyorum." Markete doğru yürüdü, delikanlıya gülümsemek için birkaç kez arkasını dönerek.

Tuvalette, beyaz ayaklı bir lavaboya iki elini dayayarak yaslandı ve aynaya baktı. Başını iki yana çevirdi, işlediği suçu ele verecek bir ifade olup olmadığını anlamak için yüzünü inceledi. Bir damla gözyaşının yanağının kenarından kayıp ağzının kenarına doğru süzülüşünü izledi. Hüznün tuzunu tattı ve geri kalanını sildi.

Arabaya, elinde bir bardak kahve, bir şişe soda ve bir torba çikolatalı kurabiye ile döndü.

"Hazırsınız" dedi delikanlı. "Umarım köpeğinizi bulursunuz."

"Teşekkürler" dedi.

Delikanlı kapıyı açtı, Claire arabaya bindi. Delikanlı çantanın altından bakan bir çift gözü fark etti. "Demek bir yol arkadaşınız..."

"Bu Düğme. Benim yol arkadaşım. Aslında köpekten daha iyi. Yürüyüşe ya da başka bir şeye ihtiyacı olmuyor."

Delikanlı sanki bir şey söyleyecekmiş gibi ağzını araladı. Ateş Karınlı doğruca adama baktı, yavaşça göz kırptı ve gözden kayboldu.

Delikanlı omuz silkti. "İyi yolculuklar. Umarım aradığınız şeyi bulursunuz."

Claire kurabiyeden bir ısırık aldı ve tekrar otobana yöneldi.

7

"Bu sabah nasılsın?" diyen Bay Levante, Claire'e oturması için işaret etti.

"Ne üşüyorum, ne terliyorum" dedi kalın minderli bir sandalyeye oturup, yanağını avucuna dayayarak.

"Ilık, güzel, hayatın büyük çoğunluğu ılıktır zaten." dedi Bay Levante kendi kendine mırıldanarak, masanın üzerinde bir şeyler aradı. Bir kurşun kalem aldı ve dikkatle ucuna baktı. "İşte aradığım buydu... O halde, bugün fena değilsin."

"İyiyim işte."

Claire, ellerini pantolonunun üzerine sürttü, kırışıklıkları düzeltti. "Sırf sen not alabilesin ve ödevlerim hakkında konuşabilesin diye her hafta buluşmamızın bir anlamı yok gibi görünüyor."

"Umarım buluşmalarımızdan, ödev yapma konusunda birkaç ipucundan çok daha fazlasını alabilirsin."

"Aldım bile. Kaçmayı düşünmeye başladım. Nereye gideceğim hakkında planlar yapıyorum."

"Claire... " Bay Levante not defterinin üzerinden baktı. "Bu şekilde şaka yapmaya devam edersen, başına bir sürü bela açacaksın."

"Şaka yapmıyorum."

Bay Levante kaşlarını kaldırdı ve defterine baktı. "Bir bakalım. Notlarıma bakmak istiyorum." Not defterini aldı, sayfalarını çevirdi. Masasının çekmecesini açtı ve farklı bir kalem çıkardı. "İşte buradayız..."

"Hiç gelecek yıl mezun olduktan sonra ne yapacağını düşündün mü?"

Claire homurdandı. "Bizimkilerin bunu bana kaç kere sorduklarını biliyor musun? Ne yapacağımı bilmiyorum."

"Ne ilgini çekiyor?"

"Bilmiyorum."

"Olayın derecesi bu mu? Bilmiyorsun."

"Evet." Claire arkasına yaslandı ve kollarını kavuşturdu.

"Daha fazlası olmalı."

"Hayır. Hepsi bu. Bilmiyorum."

"Tamam... o zaman... başka biri olduğunu farz et, ne yapmak isterdin?"

"Bu tamamen farklı bir soru."

"Evet..." dedi Bay Levante, devam etmesi için yüreklendirerek.

"Evet..." dedi Claire adamın taklidini yaparak, "Uzun bir süredir başkası olmak istiyorum."

"Başkası mı?" diye sordu Bay Levante. "Kim?"

"Özel biri değil."

"Gerçekten mi? Ünlü ya da zengin ya da heyecanlı bir maceraya karışan biri de olmak istemiyorsun, öyle mi? Ya da bunun gibi bir şeyler."

"Bu konuda konuşmayalım."

"Sadece bir kere mutlu et beni. Başkası olmak istediğini söyledin. Bu kişi hakkında biraz daha bilgi edinmek istiyorum."

"Kim olmak istediğimi biliyor musun?" Durdu ve ellerini kucağına koydu, tüm dikkati üzerine çekene kadar bekleyerek. "*Herhangi biri* olmak istiyorum."

"*Herhangi biri?*" diye tekrarladı, soru tonuyla.

"Evet, herhangi biri. Sokaktaki çocuk, okuldaki öğretmen, Asyalı bir çiftçi. Belki bir hayvan, köpek ya da kuş gibi, belki de bir kurbağa."

"Gerçekten herhangi birini kastetmiyorsun herhalde."

"Anlamıyorsun. Herhangi biri derken, tam da herhangi birini kastediyorum. Kalabalıktan birini seç... işte o kişi olmak istiyorum."

Bay Levante bir süre sessiz kaldı. "Hayatın boyunca hapis

yatacak olsaydın eğer, herhangi biri olmak avantajlı olurdu. Ama o durumda değilsin, özgürsün."

"Özgür olmaya mahkum edildim, öyle mi demek istiyorsun? Belki de birbirimizi anlıyoruzdur."

Bay Levante kalemini masaya koydu. "Biraz daha açar mısın? Tam olarak anladığımdan emin değilim."

"Ne demek istediğimi mi öğrenmek istiyorsun? Anlatayım. Sadece bir dakika için, dünyayı bir başkasının gözünden görmeye yetecek kadar, başka biri olmak istiyorum. Renkler aynı mı görünüyor, acı aynı etkiyi mi yapıyor, kelimeler aynı anlama mı geliyor, bilmek istiyorum. Hayatımın ne kadarının, sadece içinde yaşadığım bir hayalden ibaret olduğunu bilmek istiyorum. Belki oradaki, zihnimin ötesindeki, benim kendi yaşamımdan tamamen farklı, başka bir gerçekliktir. Sadece *ötekilerin* yaşayabildiği. Eğer sadece bir dakikalığına, bir başkası olabilseydim, çok şey öğrenirdim."

"Çok ilginç bir düşünce" dedi Bay Levante. "Fakat bu bütün sorularını cevaplar mı?"

"Hayır, cevaplamaz" dedi Claire. "Aynı zamanda başka bir yerde yaşamak istiyorum; herhangi bir *yerde*, herhangi bir *zamanda*. Düşünme ve inanç şeklim, nasıl davranıp hareket ettiğim, bana baskı yaparak hayatımı yöneten toplumun bakış açısı mı bilmek istiyorum. Eğer başka bir yerde, başka bir zamanda olsaydım, tüm oyunlardan arınır ve geriye kalanın ne olduğunu keşfederdim."

"Devam et." Bay Levante defterine not almaya devam etti. "Benim söyleyecek fazla bir şeyim yok."

"Tabi ki yok."

Bay Levante kafasını kaldırdı. "Claire" dedi azarlayan bir ses tonuyla.

"Tatsız bir şey oldu geçen gün" dedi. "Öğrenmek ister misin?"

"Lütfen" devam etmesi için bir el hareketi yaptı.

"Kalabalık bir caddede bisiklete biniyordum. Işıklarda durdum. Caddenin ortasında, arabaların arasında zıplayan, yeşil bir balon vardı. Balonun trafiğin ortasında ne kadar eğlenceli göründüğünü düşünürken, bir otobüs balonun üzerinden geçti. Balon patladı. Asfaltın üzerine yığıldı, yamyassı, cansız. Gözyaşlarına boğuldum. Bisikletimi yolun kenarına park ettim, kaldırımın yakınına oturdum ve hıçkırmaya başladım. Bir balon için ağlıyordum."

"Bir balon yüzünden mi?"

Bay Levante defterini kapatıp masanın kenarına koydu. "Sence bu olay seni neden etkiledi?"

"Balon benim hayatım; senin hayatın. Hepimiz bir kabın içinde doğduk, bizim dışımızda herkesin inşa ettiği bir kabın. Bize okula gitmemizi söylüyorlar. İyi notlar almamızı söylüyorlar. Onlar gibi giyinmemizi, onlar gibi hareket etmemizi, iş bulmamızı, kariyer yapmamızı, ev almamızı."

"Bu kötü bir şey mi?"

"Mutlu ve huzurlu yaşıyoruz, ta ki bir şey bize biraz rahatsızlık ve acı verene, bütün yaşamların bir sonunun olduğunu fark edene kadar. Beni ben yapan şeylerin çoğu tamamen rastlantısal. Hedeflerim, amaçlarım benim değil, benden başka herkesin... Neyim ben? Kimim?"

"*Sen* ne düşünüyorsun?" diye sordu Bay Levante, kalemini defterin üzerinde hızla hareket ettirerek.

"Bence, ben, benim dışımdaki herkes tarafından yaratıldım. Yaptığım her şey önceden kurgulanmış durumda, kariyer seçimimden giydiğim kıyafetlere, nasıl hareket ettiğimden, ne zaman uyuduğuma kadar. Benim hayatım senin gibi, bana nasıl hareket etmem gerektiğini söyleyen insanlardan oluşuyor Bay Levante."

"Fakat Claire, bu durum insanlarla beraber yaşamanın bir parçası. Bence sen rahatlıkla bir keşiş olabilir, bir mağarada yaşayabilir ve toplumdan tamamen uzaklaşabilirdin."

"Bir mağara bile sorunu çözemez ya da soruya cevap olamaz. Ne değişecek ki ister mağarada, ister ailemle banliyöde yaşayayım? Eğer, sadece doğduğum dünyanın bir ürünüysem, o zaman *ben hiçbir şeyim*. Arkadaşlar, öğretmenler, anneler, babalar, akrabalar, hepsi bana akıl veriyor. Tekrar düşünmemi, uyum sağlamamı, başa çıkmamı, başarmamı, başka bir yön bulmamı tavsiye ediyorlar. Bir şey; herhangi bir şey yapmamı söylüyorlar. Bir amaç ve anlam bulacaksın. Kendi içine bak. Gerçekte ne istediğini, ne yapmak için dünyaya geldiğini, potansiyelinin ne olduğunu bul. Kendine uygun mesleği bul, güçlü yanlarını fark et, kendini keşfet... Önerileri karşısında yapabildiğim tek şey sessiz kalmak. Hayatımı çevreleyen kap patlasa, bomboş bir şekilde bulacaklar beni."

8

Ateş Karınlı, Claire'in kurabiyeleri bir kurbağanın dikkatini çekebilecek şekilde, tek bir lokmada yiyişini seyretti. "Sen de bildiğin gibi Düğme, kahve ve pastayı severim, özellikle de araba kullanırken. Bana kendimi çok önemli biriymişim gibi hissettiriyor; sanki bir iş toplantısına gidiyormuşum gibi. Eğer bir cep telefonum olsaydı, birilerini arar, bir iki yere uğramak zorunda olduğumu ve geç kalacağımı söylerdim."

Kahvesinden bir yudum aldı ve sonra, şarkıların birkaç kelime ya da cümlesini dinledikten sonra atlayarak, hoşuna giden bir parça bulabilmek için radyoyu kurcalamaya başladı. Yüksek bir korna sesi geldi dışarıdan. Öfkeli bir sürücü ona birtakım hareketler yaptı. Claire sarsıldı. Kahve bardaktan taştı ve üstüne döküldü. Çamur dolu bir göl gibi görünen bir leke, pantolonunda yayıldı.

"İşte bu harika." Kahveyi hızla elinden bıraktı ve direksiyonu iki eliyle kavradı. Yoldan saptı ve arabayı düzeltmeye çalışırken acı bir ses çıkardı. Hoparlörlerden gürültülü bir cızırtı geliyordu. Uzanıp radyoyu kapattı. Eğilip pantolonuna baktı. Katlanmış bir mendille lekeyi silmeye çalıştı.

Güneş hızla bulutların arasından geçti. Ilık hava küçük toz ve polen parçacıklarını savurarak bitkileri ve çalıları karıştırdı. Havanın akıntısına kapılan küçük böcekler, yollarını kaybedip afallamış bir şekilde arabanın içine sürüklendiler.

Claire'in hayatında Ruffles, davranışları değişmeyen tek canlıydı. Claire onun üzerine bassa, ona yemek vermeyi unutsa ya da yürüyüşe çıkarmasa bile, köpeği Claire'i her zaman coşku ve heyecanla karşılardı. Hiçbir hatası, köpeğinin sevgisini azaltmazdı. Ama o gitmişti işte.

Kazadan sonra, odasında oturup uzun süre ağladı, göz yaşlarının köpeğini tekrar hayata döndürebileceğini umarak, onu bahçede koşarken, havlarken ve bir şeyleri yakalarken bulacağını hayal ederek. O zaman, her şey kötü bir rüyadan ibaret olacaktı.

Babasının, odasının kapısına vuruşunu duymazlıktan gelmişti. Başını yastığa gömerek ağlamıştı, babasının onun ne kadar üzgün olduğunu duymasını istemiyordu. Babası ısrar etmişti. Sonunda kapıyı açmıştı. Öfkeyle babasına aptal ve dikkatsiz olduğunu, bütün sorunlarının nedeninin onu hiçbir zaman gerçekten umursamaması olduğunu söylemişti. Şu anda pişman olduğu pek çok şey söylemişti.

Claire sekiz yaşındayken, her şeyin yoluna gireceğine inanırdı. Her türlü zorluk, onu üzen her şey mutlu sonla sonuçlanabilirdi; sadece bir parça hayal gücü gerekiyordu. Bir tepeye tırmanırken bacağını kesmiş olabilirdi, patenle caddede kayarken dirseğini kanatmış olabilirdi, grip olup yatağa düşebilirdi, fakat hayat her zaman daha iyiye doğru giderdi. Her şey, her zaman daha iyiye doğru giderdi. Şimdi artık böyle düşünmüyordu. Eşyalar kırılıyor, kayboluyor, hayvanlar ve insanlar ölüyordu. Bazen, bir dikenin batması o kadar acıtıyordu ki canımızı, devam edemiyorduk yolumuza.

Kazadan sonraki sabah, Claire sessizliğe uyanmıştı. Onu selamlayacak, evin çevresinde dolaştıracağı köpeği yoktu, onun ilgisine ihtiyaç duyan kimse yoktu. Tek başına yürümek için dışarı çıktı. Evinin biraz uzağındaki gölde kaybolmak istiyordu. İşte burasıydı, değiştirilemeyen, katı ve kaçınılmaz dünya ile her şeyin mümkün olduğu, hayallerindeki dünya arasında bocaladığı düşüncelerindeki yer. İşte burasıydı, büyümekte olan bitkilerdeki yaşamın akışına, bir günlük ömürleri olan canlıların ortaya çıkışına ve mevsimlerin değişimine şahit olduğu yer. İşte burasıydı, suyun ve toprağın sınırında olan o yer, sanatçılar tarafından pek çok kez aranmış ve tasvir edilmiş olan o yer, Claire'in mutlu ve huzurlu olabildiği, göle atlama, yüzme ve farklı bir dünyada yaşamanın heyecanını ve olasılığını hissetme arzusuyla baş başa kaldığı o yer.

O sabah evden çıkarken, evin önünde duran kiralık araba ve taşıdığı anlam, onu afallatmıştı. Parlak ve çekiciydi. Babasının ulaşım sorunu sadece bir kredi kartıyla çözülmüştü.

Eğer dünya bir gün uyansa ve Claire'in olmadığını görse, farklı bir şey olmazdı; en az bir gün, hiç kimse farkına varmazdı. Oysa araba bir anlığına bile kaybolsa hemen polisi ararlardı. Ama eğer, hem Claire hem de araba kaybolsa; o zaman ne yapacaklarını bilemezlerdi. Bu fikir hoşuna gitmişti. İnsanların farklı kararlar arasında bocalamalarını istiyordu.

Koşarak eve döndü. Babası uykudayken, çabucak anahtarları aldı. Sonra odasına gidip, raftaki Düğme'yi kaptı. Yıllar olmuştu, Claire ayısını bir yere götürmeyeli ve onunla samimi bir şekilde konuşmayalı. Oyuncak arkadaş ihtiyacını çoktan geride bırakmıştı, ona artık çocukça geliyordu. Ne var ki o anın gerginliği içinde, ne yapacağı konusunda kafası karışıkken, istediği tek şey olabildiğince hızlı bir biçimde, gidebileceği en uzak yere kaçmakken, yanına tanıdık bir şey, anısı olan bir şey, ona mutlu ve huzurlu günlerini hatırlatan bir şey alma ihtiyacı duydu.

9

"Artık senin derslerini kontrol etmeyeceğim." Bay Levante
sandalyesini masasından uzaklaştırdı ve dosyalarla dolu çek-
mecesini açtı.

"Yani işimiz bitti mi? Artık buraya gelmek zorunda değil
miyim?" Claire'in yüz ifadesi oldukça şaşkındı.

"Ben öyle demedim." Bay Levante parmaklarını dosyaların
üzerinde gezdirdi, kalın bir dosyayı çekip çıkardı. "İşte bura-
da." Dosyayı masanın üzerine bıraktı ve Claire'e baktı. "Yani
demek istediğim... sürekli ödevlerini takip etmeyi yararlı bul-
muyorum."

"Eğer okuldan konuşmayacaksak, benim buraya gelmemin
anlamı ne? Sen *okul* danışmanısın. Öyle değil mi?" dedi Claire
kinayeli bir biçimde.

Bay Levante arkasına yaslandı ve defterine bir şeyler yaz-
maya devam etti. Sessizdi ve neredeyse Claire'i yok sayacak
kadar, yaptığı şeye yoğunlaşmıştı.

"Ne yazıyorsun?" diye sordu Claire. "Not almaya değecek
bir şey söylemiyorum... Beni dinliyor musun? Bence sen beni
dinlemekten çok, iyi bir rapor hazırlamakla ilgileniyorsun."

"Pek bir anlamı olmayan ilginç şeyler söylüyorsun. Bunları
gözden geçiriyorum ve hatırlamaya çalışıyorum."

"Neyi?" Claire, Bay Levante defterine not alırken onu sey-
retti.

"Bence sen... yani, umarım... bunu, en azından ilginç bula-
caksın." Bay Levante durakladı. Kafasını kaldırıp, bir atmaca
kadar dikkatli bir biçimde Claire'e baktı ve sonra devam etti.

"Benimle ilgili ne yazdığını görebilecek miyim yani?"

"Tabi ki" dedi, defterine bakarak.

Claire başını hafifçe eğdi ve öne uzattı. "Notlarını görebileceğimi hiç tahmin etmezdim" dedi.

"Hiçbir şey gizli kalmamalı. Hepimiz insanız. Çabalarımız farklı, ama hepimiz çabalıyoruz... Ben de şu anda, gözleri düzgün yapabilmek için çabalıyorum."

"Neden bahsediyorsun sen?"

Claire mırıldandı. "Gidebilir miyim artık? Neredeyse..."

Birden sustu. Bay Levante defterini çevirdi ve Claire'in önüne doğru sürdü. "Demek istediğin şey bu mu?"

Kağıtta ne harfler, ne kelimeler ne de paragraflar vardı, sadece genç bir kızın solgun portresini oluşturan, ifade ve duygu çizgileri ve uçuşan darbeler vardı. Sert kenarlar, pürüzsüz kayalarla kontrast yapıyordu. Basit, kıvrılan bir patikayı, büyük bir uçurum kesiyordu. Son derece yoğunlaşmış, kollarında oyuncak hayvanını sımsıkı tutan, gözleri dehşet ve şaşkınlıkla bakan, küçük bir çocuk. Sadece kurşun kalemin gölgeleriyle, bambaşka bir renk elde edilmişçesine kullanılan perspektif, resme bakan kişiyi aşağıdaki karmaşanın derinliklerinden alıp, yukarıya, gökyüzünün parlaklığına götürüyordu.

"Bunlar senin notların mı?" diye sordu Claire. "Tüm yaptığın bu muydu... bunca zaman... sadece resim mi yapıyordun?" Claire şaşırmıştı.

Bay Levante başıyla onayladı. Duvarlardaki kara kalem çizimlere ve portrelere işaret etti. "Gördün mü? Bazı sorunlar kelimelerle tasvir edilemez."

Alay zerrecikleri vardı Claire'in sesinde. "Anlıyorsun, değil mi?" dedi.

Bay Levante başını öne doğru salladı. "Kelimelerin ardındaki fikirlere dikkat ederim. Anlıyorum çünkü ben de orada, kenara yakın bir yerlerde bulunmuştum bir zamanlar. Seni üzenlerle ilgili bir şeyler biliyorum."

Claire sandalyesinde doğruldu. Bay Levante'nin az sonra söyleyeceği, sanki hayatını kurtaracakmış gibi, ona büyük bir dikkatle baktı.

"Claire, benim için okumanı istediğim bir kitap var."

Resmi yere bıraktı, yakınındaki bir raftan kitabı aldı ve Claire'e uzattı. "Bunu okumanı istiyorum. Bir Rus yazarın kısa bir eseri. Sonra bana ne düşündüğünü anlat. Sayfaların arasında bir eş ruhla karşılaşabilirsin."

Claire kitabı Bay Levante'nin elinden aldı. Kitabın deri kabının kenarı eskimişti, sayfaları sararmıştı ve sıkışık, küçük yazılmış kelimeler, uzun paragraflar koyu renkliydi.

"Felaket sıkıcı görünüyor. Bunu mu okumamı istiyorsun?"

"Evet. Kolay değil, ama eminim değdiğini düşüneceksin. Bir sonraki buluşmamızda kitap hakkında konuşuruz."

Aynı gün akşamüstü, Claire kitabın ilk birkaç sayfasını okudu. O kadar uzun cümlelerden oluşuyordu ki, Claire kitapta zar zor ilerlerken ve bir sayfa uzunluğundaki paragraflarda bir fiil ararken, cümlenin öznesini unutuyordu. Fazla zeki ve kendinin farkında olmaktan şikayet eden bir kahramanın, abuk sabuk sayıklamalarını tekrar tekrar anlatıyordu hikâye. Öyle, çok yüce değerler ya da hedefler yüzünden acı çekip, sorun yaşamıyordu kahraman, sadece, bir böceğe dönüşme becerisine sahip olmama ya da bir polis memuru caddede gezinirken, iki yıl boyunca caddeye adım *atmamaya* hazırlanma gibi mümkün olamayacak durumlara kafa yoruyordu.

Kitapta çok az hareket ve konuşma bölümleri vardı. Claire eseri çok saçma ve sıkıcı bulmuştu. İlk birkaç bölümü okumaya kendini zorladıktan sonra, kitabı bir daha asla eline almayacağını düşünerek bıraktı. O gece, yatağında yatarken, tüm tuhaflığı ve belirsizliğiyle, bir şeyler onu çekti. Kitabı eline aldı ve en başına gelene kadar, sayfaları geriye doğru çevirdi. Kitabı tekrar okumaya başladı. Birkaç uzun tasvir bölümünü atladı ve yabancı bir dilde yazılsa, ancak bu kadar anlaşılmaz olabilecek cümleleri zar zor okudu. En sonunda, birkaç kavram bir araya gelip, daha önce düşündüğü fakat şu ana kadar dile getiremediği fikirler oluşturmaya başladı. Büyük bir ilgiyle okuyarak, her bir kelimeye ve ifadeye ayrı ayrı dikkat ederek sayfaları birbiri ardına çevirmeye başladı. Tıpkı bir girdabın içindeki bir mantar tıpa gibi, kitabın derinliklerine doğru sürükleniyordu.

Acı çekme, bilinçlenmenin başlangıcıdır.

Eğer sürekli mutluysak, otuz iki dişimizi göstererek sırıtıyorsak, her geçene beylik ve basmakalıp sözler söylüyorsak, tıka basa dolu olan midemizin halinden memnunsak, her türlü ihtiyacımız ve arzumuz karşılanıyorsa, bebeklikten yaşlılığa kadar ilgi görüyorsak, her yol ve patika bizim önümüze serilmişse; kendimizi tanımamız mümkün müdür?

Gelecekte, bilim, bütün davranışlarımızı açıklayabilecektir.

Doğa böceğin ışığa uçmasını, kuşun göç etmesini, ayının kış uykusuna yatmasını tasarlamıştır. İnsanlar da bu planın dışında değildir. Doğanın kanunları her insana uyar mı? Biz insanlar da bir böceğin hareketleri gibi açıklanabilir miyiz? Her bir eylem ve inanç, beynimizde yanan bir takım nöronların bir sonucu mudur?

Bilim, seçimi, kendi yararlarımız ve çıkarlarımız doğrultusunda hareket etmek olarak açıklar.

Claire, ne yapacağına özgürce karar verip veremeyeceğini ya da o doğmadan uzun süre önce, onun kim olacağı konusunda çalışmalar yapan, sınırsız güçlerin olup olmadığını merak etti. Sanki bu doğruymuş gibi hareket ediyoruz. İşte bu yüzden, kanunlar suçlu bir adamı serbest bırakabiliyor; çünkü onun işleyeceği suç kaçınılmazdır; bir seçim yapamayacak durumdadır. Yaptığımız *herhangi bir şey* için suçlanabilir miyiz? Bütün insanlık tarihini bilmeden kim bir yargıya varabilir?

Eğer her olayın bir nedeni varsa, o zaman özgür irade nerede? Yemek yiyoruz çünkü açız, uyuyoruz çünkü yorgunuz, arkadaşlarla oynuyoruz çünkü eğlenmek istiyoruz, bir kağıt parçasını yerden alıyoruz çünkü etrafta çöp istemiyoruz. İnsan rasyonel bir robot mudur, peki ya dünya, harekete geçirilmiş ve bütün parçaları kullanılmaz hale gelene kadar çalışmaya bırakılmış bir makine midir?

Arzuları ve özgür iradesi olmayan bir insan nedir?

Ya doğanın kanunları işlemezse? Bizim bir parçamız olmayan bir dünyanın parçası olmayı neden tercih etmeliyiz?

Ya eğer doğanın dışındaysak; doğal değilsek? Ya eğer, rasyonel olmayan, bu yüzden de bilimle hiçbir zaman açıklanamayacak olan şeyleri arzu ediyorsak? Ya eğer, her türlü eylemimizden tamamen sorumlu ve de suçluysak?

İnsan pek çok şey söyleyebilir dünya tarihine dair; rasyonel olduğu dışında. İsterseniz, bir insana her türlü dünyevî nimeti verin, her türlü arzusunu gerçekleştirin, en küçük susuzluğunu giderin, o yine de sahip olduklarını yok edecektir; sırf özgür olduğunu kanıtlamak için.

Claire, mantık dışı, açıklanamayacak ve anlaşılamayacak şekillerde hareket ederek, dünyaya özgürlüğünü ilan etmeye karar vermişti. Kendine ve başkalarına, her insan davranışının bir nedeninin, mantıklı bir açıklamasının olmadığını göstermek zorundaydı. Sinsice hareket edemezdi. Suçlu bulunmak ve cezalandırılmak istiyordu.

Claire, büyük bir düşünce gücüyle, benliğini ve bireyselliğini ortaya koymaya başladı. Eğer bir hareketin herhangi bir amacı varsa, Claire o hareketin bir parçası olmak istemiyordu. Ona sorumlulukları hatırlatıldığı zaman, onlardan kaçardı. Mantıksız olabiliyorsa, o zaman özgürdü. Yatağını toplamayı, kıyafetlerini yerden almayı ve bulaşıkları yıkamayı bıraktı. Duş almayı, düzenli öğünler halinde yemek yemeyi, ödev yapmayı bıraktı. Bazen, durduk yerde, cam bir tabağı yere düşürüyor ve ayaklarının dibinde paramparça oluşunu izliyordu. Olabildiğince fazla düzensizlik ve karmaşa yaratmaya çalışıyordu.

Yetişkinler, onun davranışlarını, büyüme mücadelesi olarak yorumladılar ve zamanla tutumunun değişeceğini söylediler; sadece asi bir ergendi o. Akranları, onun biraz açılmaya ve eğlenmeye ihtiyacı olduğunu söylüyordu; biraz fazla ciddiydi. Herkes onun, zamanla bu durumdan kurtulacağını tahmin ediyordu. Herkes Claire'in davranışları için nedenler ve açıklamalar öne sürdü; fakat sonra o, herkesin iyimserliğini paramparça eden bir şey yaptı.

10

"İstediğimiz her şeyi yapabiliriz. Özgürüz." Claire Düğme'yi aldı, onu kucağına koydu ve eliyle tüylerini taradı. "Kurabiyelerle doyduğumuz sürece arabayla istediğimiz yere gidebiliriz. Bir kafese kilitlenmiş bir hayvan kadar özgürüz."

Havadaki esinti, Ateş Karınlı'yı hipnotize eden hoş bir ritimle Claire'in saçlarını omzunun üzerinden ileri ve geri atıyordu. Ateş Karınlı, onu, uzaktaki bir göle uzanan çimenlerle kaplı bir tepeden aşağıya, özgürce ve neşeyle koşarken gözünün önüne getirdi. Ateş Karınlı, kızın boynundaki eğime tutunarak omzuna tünemiş oturuyor, tokmağıyla gideceği yolu gösteriyordu.

Claire çantasına uzanıp bir kurabiye daha aldı. Aceleyle bir ısırık attı. İnce bir çikolata katmanı, üst dudağına bulaşmıştı. Düşen kırıntılar bluzuna ve kucağına döküldü. Claire, kırıntıları pantolonundan silkeledi ve yüzünü sildi, sonra da ağzında kalanları yutmak için bir yudum soda içti.

"Düğme, umarım hoşuna gidiyordur yolculuk." Ön panelde oturan oyuncağına baktı. "Sen hiç değişmiyorsun, bu yüzden burada olman hoşuma gidiyor. Tıpkı eskiden olduğun gibisin, çocukluğumdaki gibi. Ben öyle değilim ama. Ben artık aynı insan değilim. Bir yıl, bir hafta, hatta bir gün önceki halimden; araba çalan bir kaçak olmadan önceki halimden farklıyım. Her zaman değişmeden aynı kalacak bir şeyim var mı benim?"

Ateş Karınlı tokmağını yukarı kaldırıp gözüne yaklaştırdı ve her tarafını görebilmek için bacağını döndürerek inceledi. Dört bacaklı olsa ne kadar farklı olacağını merak etti; belki de hiç farklı olmazdı. Şekilsiz bacağını Claire'e doğru uzattı. Büyüyen bir otun sapı gibi uzatmayı hayal etti tokmağını, hafifçe Claire'in saçlarına değene ve onu düşüncelerinden uyandırana kadar. Artık vücudu değişmişti; istediği hiçbir şeye engel değildi.

Yol, çok uzağı görmeyi engelleyecek biçimde kavis çizmeye başlamıştı. Bulutlar kararmıştı ve etrafı belirsiz bir griliğe gömerek gökyüzüne yayılmıştı. Hava soğumuştu, rüzgar, uzaktaki ağaçlardan yaprakları koparıp getiriyordu; ki bu da bir kurbağa için saklanmak gerektiğinin ya da dalgalar tarafından fırlatılmaya hazırlanmanın işaretiydi.

Ateş Karınlı, arabanın hareketinin ritmi ve uğuldayan rüzgarın sesiyle uyuşmuştu. Claire'in çantasının altına saklandı ve uykuya daldı. Rüyalarında her türlü seçim mümkündü:

Adam arabaya geri döndüğünde, çok mutlu ve halinden memnun görünüyordu, hatta ıslık çaldığına ve havalı havalı yürüdüğüne bakılırsa, eğleniyor gibi bir hali vardı; küçücük bir kurbağayı fırlatıp atacak biri gibi değildi yani.

Ateş Karınlı, kararsızlığın *ya şöyle olursalarıyla* daha fazla hareketsiz kalamazdı. Saklandığı yerden çıktı ve tam ortalayarak yolcu koltuğuna oturdu. Nefes aldı ve yan taraflarını son derece kendinden emin bir biçimde şişirdi, sonra vrakladı, hem de bir değil, üç kez.

Adam koltuğa baktı ve gülümsedi. Gözleri buluştu, karşılıklı anlayışlı bir bakışma gerçekleşti aralarında. Adam, koltuğun tam ortasındaki yalnız kurbağa karşısında büyülenmişti.

"İnanılmaz. Nasıl geldin buraya? Nereden geldin?"

Ateş Karınlı tekrar vrakladı.

"Sana bir kap bulalım. Sanırım bizimle kalmak hoşuna gidecek. Kızım hayvanları çok sever. O ve ben sana çok iyi bakacağız." Yavaşça elini uzattı. Ateş Karınlı adamın avucuna tırmandı ve rahatça kuruldu oraya.

Adam Ateş Karınlı'yı evine götürdü ve onu, gür, yeşil yosunları, parıldayan, berrak havuzları olan kocaman bir kabın içine koydu. İki ferahlatan şelâle, bir tomruk ve yosun ormanından geçen neşeli bir patika gibi kıvrımlar çizerek dolaşan, küçük bir ırmağa akıyordu. Cırcır böcekleri ve meyve sinekleri etrafta zıplıyor, yem olmayı bekliyorlardı. Birkaç küçük kurbağa ise bu yeni ve esrarengiz komşunun gelişiyle şaşkındı.

Kabı, muhteşem bir dağ ve göl manzarası olan kocaman bir pencerenin önündeki bir rafa koymuşlardı. Hep hayal ettiği dünyayı görebiliyordu.

Ateş Karınlı orada çok uzun süre yaşadı, büyüdü ve şişmanladı. Rahat, mutlu ve huzurluydu.

Bir gün, başka bir kurbağa, onun camın altındaki göle baktığını fark etti ve hiç dışarıda yaşamayı düşünüp düşünmediğini sordu. Bu planlanmamış, bir dakikalık düşünce sonrasında, Ateş Karınlı yaptığı hatanın farkına vardı. Dış dünyaya zıplamak, özgür ve vahşi bir yaşam sürmek, bu ileri yaşında, bilge bir kurbağa olmak yerine, şimdi tek söyleyebileceği, rahat bir hayat sürmüş olduğu, hiçbir zaman aç kalmadığı ve fazla üşümediğiydi. Korunaklı, güvenli ve emniyetli bir biçimde kocaman rahat bir kapta yaşamıştı.

Ateş Karınlı, o kurbağaya Caroline'i, arabada kaybolduğu zaman yaşadığı büyük macerayı, iyi kalpli bir adam tarafından nasıl kurtarıldığını anlattı. Bütün detayları ve gerçekleri anlattı. Ama tam da özgürlüğe ramak kalmışken, dışarıya atlayıp vahşice yaşayabilecekken, hayali gerçeğe dönüşebilecekken, o büyük bilinmezin eşiğindeyken, sıvıştığını, yaşlı, obez ve dilekleri dışında hiçbir şeyi olmayan bir amfibi haline geldiğini söylemedi.

Böyle bir kurbağa olmak istemezdi.

Ateş Karınlı gözlerini açtı ve gergin, dimdik oturan, boş gözlerle ön camdan dışarıya bakan Claire'i seyretti. Gözlerini kapattı ve tekrar uykuya daldı.

Adam kaldırım boyunca arabayı sürdü ve kızını indirmek için durdu. "Seni haftaya alırım." "Tamam" dedi kız kapının kulpunu kaldırıp inmeye hazırlanırken.

Ateş Karınlı saklandığı yerden dışarı çıktı ve kapının alt kısmındaki çıkıntıya tırmandı. Etrafa bakınıp daha iyi bir yer olup olmadığını düşünmek için zaman yoktu. Atlamak zorundaydı, gözü kapalı, fakat kendinden emin bir biçimde. Tereddüt etseydi eğer ya da nereye ineceğini görebilecek kadar yaklaşsaydı kenara, bir anlığına bile olsa geriye dönüp baksaydı ezilebilirdi.

Kız kapıyı açtı ve bir bacağını arabadan dışarı uzattı. Ateş Karınlı, bir anlığına uzaktaki yeşil çimenleri ve ağaçları gördü. İlerledi ve bacaklarını gerdi. Kız yere indi. Ateş Karınlı havaya sıçradı, kızın neredeyse bacağını sıyırdı. Takla atarak toprağa düştü ve hemen kendini doğrulttu. Araba hareket etti. Kız caddeden aşağıya yürümeye başladı.

İlk defa dışarı çıkıyordu. Dışarıya, sınırların olmadığı dünyaya. İstediği yerde zıplayabilir ve sürünebilirdi, güzel, yeşil çimenlerle kaplı, gölge veren yüksek ağaçların ve nilüfer yapraklarıyla kaplı, berrak bir gölün olduğu bir yer bulana kadar dolaşabilirdi.

"Vahşiyim!" diye bağırdı kendi kendine.

Hızla, uzun bir bitkinin üzerine, sonra da aşağıya çimenli bir tepeye doğru zıpladı. Tepenin ardında güzel bir göl buldu. Onu sarhoş eden bir neşeyle etrafta yuvarlandı, ta ki akşam olup, gökyüzü çekici cırcır böceklerinin büyüleyici sesleriyle ve egzotik kurbağaların vraklamalarıyla dolana kadar. Gözlerini kapattı ve büyük bir memnuniyet içinde gülümsedi. Sabah, gölün tam ortasında bir nilüfer yaprağı bulacak ve gününü ılık, hafif meltemle güneşlenerek geçirecekti. Vahşi, diye geçirdi içinden, nihayet vahşi.

Fakat çok geçmeden, gecenin sesleri tuhaf ve rahatsız edici bir hal aldı. Endişelenmiş ve korkmuştu. Çalılar hareket etti; yapraklar uğursuz hışırtılar çıkarıyordu. Bir şey yaklaşıyordu.

Ateş Karınlı zıplayarak uzaklaştı. Hışırtılar bir süreliğine kesildi, sonra yeniden başladı. Yükselen ayın ışığında, ileri geri hareket eden bir dilin ucunu fark etti. Bay Yılan onu bekliyordu.

Rutubetli ve çamurlu bir mağarada, korunaklı bir yer bulana kadar, göl kıyısı boyunca sürünerek, hızla sazlıkların arasından kendisine yol açarak, gözleri kapalı çılgınca ilerledi. Bay Yılan yanından geçerek uzaklaştı.

Ateş Karınlı büyüdükçe, hiçbir zaman su ve kara arasındaki sınırdan çok fazla uzaklaşmadı. Çamurlu deliğini kabullenmişti ve uzun sazlıkların arasında gizlenmekten memnundu. Ne var ki mutlu değildi. Hayal kırıklığına uğramıştı. Bütün dünyası, tekdüze bir görüntüsü olan yabanî otların köklerinden oluşan küçücük bir alandan ibaretti.

Korkusu, onu avlanmaktan alıkoyuyordu. Sineklerin mağarasının önünden geçmesini bekliyordu, fakat nadiren geçiyorlardı. Aç bir mideyle pek çok gün geçirmişti. Ara sıra bir cırcır böceği belirse bile, kaygan bir zemine tünemiş, iki bacaklı bir kurbağa için onu avlamak oldukça güç oluyordu. Nadiren yakalayabildiklerinin ise tadı ekşi ve acıydı.

Uzun zaman önce tanıdığı yaşlı kurbağayı düşündü. Dışarıda yaşamak, vahşi olmak hakkındaki tüm o hikayeleri yüzünden ona kızgındı. Eğer onunla hiç karşılaşmasaydı, şu anda, en kısa mesafeye bile gitmeye korktuğu, güneşin altında tembellik edemediği, bütün bir günü, tek bir küçücük böcek yiyebilmeyi dileyerek geçirdiği bir yerde yaşamıyor olacaktı. Sinirinden ölüyordu; pekâlâ, rahat ve mutlu bir biçimde, bir evcil hayvan olarak sürdürebilirdi yaşamını.

Kederliydi. Kendi başına kalmak, asla tercih edeceği bir şey değildi.

Ateş Karınlı sıkıntılı rüyasından uyandı. Rahatlamıştı; uyumak dışında hiçbir şey yapmamıştı; aynı zamanda korkuyordu; seçim hâlâ önünde uzanıyordu. Kararına müdahale edecek her şeyi yok sayarak, düşündü. Bir olasılığın eşiğindeydi. Gelecekten, seçiminin ona sunacağı gelecekten vazgeçmekten korkuyordu. Düşünceleri, yere çarpan ve kırılan, yağmur kristalleri gibi donup kaldı. Gelecek kaçınılmaz olarak gelecekti, tıpkı güneşin doğması ve yaprakların dökülmesi gibi. Mutlak özgürlükle iç içe geçen mutlak keder. Olasılıkları gördüğü zaman, muhtemelen neler yaşayabileceğini seziyor ve dönüşebileceği kurbağa olmak istemediğini fark ediyordu.

11

"Annen ve baban yaptığın şeyi ya da bunu neden yaptığını anlayamıyorlar... Benden seninle bu konuda konuşmamı istediler."

"Hangi konuda?"

"Bence biliyorsun, Claire. Tekrar yapacağından endişeleniyorlar."

Claire omuzlarını silkti ve sessizce oturdu.

"Bir sorun mu var? Endişelerini anlayamıyorum." Claire, onaylamayan bir ifadeyle başını salladı ve pencereden dışarıyı seyretti.

"Ayrıca, annen ve baban notlarının hâlâ düzelmediğini fark etmişler; Görüşmelerimizin bir değerinin olup olmadığını düşünüyorlar."

"Değer" diye tekrar etti Claire. "İlginç bir fikir. Sahi, değeri nasıl ölçebiliriz?"

"Seninle bir terapiste, belki de bir psikiyatra görünmen konusunda konuşmamı istediler."

Claire başını kaldırıp Bay Levante'ye baktı. "Bunun da pek bir değeri olmaz; tamamen vakit kaybı olur."

"Claire, belki de ailenle konuşmalısın, seninle ilgilenmek istiyorlar, hepsi bu."

"Anlamıyorlar. Hiçbir şey anlamıyorlar."

"Claire, abartıyor olabilirsin. Bence..."

"Abartmıyorum." Claire öne doğru eğildi ve elini Bay Levante'nin masasının üstüne koydu. "Sence birilerine görünmeli miyim?" Sesinde beklenmedik bir içtenlik vardı.

Bay Levante durakladı.

Claire atıldı, "Öyle düşünmüyorsun, değil mi? Öyle düşünmediğini biliyorum. Sen farklı düşünüyorsun. Bunu şu anda anlayabiliyorum. Bana verdiğin o kitabı okudum. Bazı bölümlerini bir kereden fazla okudum. Kaçmayı aklımdan bile geçirmezdim, eğer o kitap olsaydı. Beni değiştirdi. Haklıydın. Gerçekten bir ruh eşi buldum. Bence anlıyorsun. Fikirlerimi de anlıyorsun, sadece duygularımı değil."

Bay Levante gözlerini kocman açtı ve başını kaldırdı. "Bana ne yaptğını anlat."

Claire derin bir nefes aldı. "Eğer anlatmamı istiyorsan, eğer bunun önemli olduğunu düşünüyorsan."

Bay Levante başıyla onayladı.

"Tamam o zaman. Sessizce yemek masasında oturmuş, babamla iki komşumuzun konuşmasını dinliyordum. Beni pek ilgilendirmeyen konularda, aralıksız bir biçimde konuşuyorlardı. Tabağımdaki yemekle ve konuşmanın içeriği yerine, seslerini dinleyerek oyalıyordum kendimi. Babam bir sorun olup olmadığını sordu. Omuzlarımı silkmekle yetindim.

Birkaç dakika sonra, sandalyemi masadan geriye çekip ayağa kalktım ve kapıya doğru gittim. Konuşma kesildi ve masadaki herkes bana baktı. Babam, yine aksiliğimin üzerimde olduğunu söyledi. Sonra yeniden konuşmasına döndü ve ben de arka kapıdan dışarı çıktım."

"Neden masadan *kalktın*?" diye sordu Bay Levante? "Konuşulan ya da söyledikleri bir şey yüzünden mi?"

"Kendime bile açıklayabileceğim bir nedenim yok, dürüst olmak gerekirse. Rüyadaki bir kahraman gibi hareket ettim sadece, dizginlenmemiş atların çektiği bir at arabasıyla sürüklenen, pasif bir katılımcı gibi. Kalktım işte, hiçbir nedeni olmadan.

Yalınayak, evin arkasındaki ormanlığa çıkan arka bahçeden ve çimen öbeklerinin yayıldığı bir alandan geçtim. Birkaç patika boyunca kıvrılarak ilerledikten sonra, en sevdiğim mekana yöneldim. Biraz uzakta, ağaçların arasındaki bir açık alanda, son derece çekici ve güzel, küçük bir göl vardı." Claire öne eğildi ve daha farklı bir ses tonuyla konuşmaya devam etti. "Gölün etrafı birkaç Asya kestanesiyle çevriliydi... Anlayacağın, ben de bir şeyler bili-

yorum kestanelerle ilgili."
Bay Levante gülümsedi.

Clair patika yolda aşağıdaki ölü kamışlara doğru yürüdü. Zemin katı ve pürüzlüydü, sert toprak Claire'in ayaklarına batıyordu. Tepki vermedi; bedeni her türlü rahatsızlığa karşı duyarsızdı. Suyun kenarına kadar yürümeye devam etti, uzakta, karşı kıyıdaki sık bataklığa bakarak. Havanın kararmasına az kalmıştı. Güneş, ağaçların sivri dallarının hemen üzerindeydi. Uzaktaki bulutlar, kırmızı bir parlaklıkla suyun yüzeyine yansımıştı.

Claire, ilk defa bir şey hissetti: hayal edebildiğinden bile daha muazzam bir genişlik. Göl, sanki ufkun ötesinden, uçsuz bucaksız manzaraya doğru uzanıyordu. Hafif bir meltem saçlarını yalayarak geçti. Derin ve kocaman bir nefes aldı. Yavaşça, dikkatle ayaklarının her birinin, sularla kaplı toprağa değişini ve suların cildine sıçrayışını hissederek yürümeye devam etti.

Çamur, ayak parmaklarının aralarına, bileklerinin etrafına, baldırlarına kadar bulaşmıştı. Bataklığın suları dizlerindeki kıvrıma kadar geldiği zaman, öylece, hareket etmeden, bacaklarını hissetmez hale gelene kadar durdu. Sonra yere oturdu çamurun kalçalarını ve belini sarmasına izin verdi. Bacaklarını uzattı, gölün ötesini seyretti. Hiçbir şey hissetmedi, hiçbir şey düşünmedi, hiçbir şey yapmadı.

Göl Claire'i sarmaya başlarken, o güneşin ağaçların tepesinde asılı duruşunu ve sonra, ufuktan aşağıya kayıp gidişini izledi. Alacakaranlıkta, bir kestane ağacının siyah köklerinin suya uzandığını, sonra zikzak çizip çamurlu şekillere, sonra da gökyüzüne havalanan böceklere dönüştüğünü ve bunların rüzgarda süzüldüğünü gördü. Küçük yassı pullar gibi yükseliyor, havadaki bulutlarla kaynaşıyor ve sonra tekrar aşağıdaki çalılıklarla buluşuyorlardı. O anda, çalılar, göl ve gökyüzü arasındaki sınırı belirsizleştiren, asfalt rengi gökyüzüyle kontrast yapıyordu.

Bunu daha önce bir an için görmüştü. Bu yüzleşme geçmişte onu korkutmuş, endişeyle ürpermesine neden olmuş, onu bu deneyimin gerçek olmadığını var saymaya zorlamıştı. Fakat bu sefer kaçmamıştı ondan. Sanki muazzam bir varlık onu sarmalıyor ve korkusu yok oluyordu. Bir anlığına, dev bir okyanusta yüzen bir kril zerresi gibi hissetti kendini. Ama sonra zerrecik uçup gitti ve Claire *hiçliği* gördü.

Çamurun içinde sırtüstü yattı, kendini sanki suyun ve karanın arasında bir yerde yüzüyormuş ve asılı kalmış gibi hissederek kararan gökyüzünü seyretti. Çamur, yavaşça saçlarının arasına ve boynunun ön kısmına doğru yayıldı.

Claire, yıldızların ilk ışığı görülür hale gelene ve göl, cırcır böceği sesleri, kurbağa vraklamalarıyla canlanana kadar, o şekilde kaldı. Enerjisi o kadar tükenmişti ki, sanki her an uykuya dalacak, çamura batacak ve bu dünyadan gidecekti. Bir sivrisinek yanağına kondu. Claire, damarlarındaki yaşamla, hayvanın iki katına çıkışını ve kırmızıya dönüşmesini seyretti. Döndü ve kaşımak için yüzünü çamura sürttü. Sonra, sadece kollarını kullanıp sürünerek kıyıya çıktı. Bir kurbağa larvasının karada yüzmeye çalışması gibi, bacaklarını, sanki vücudundan fışkıran, ölü kütüklermiş gibi sürüklüyordu. Bacaklarına ve etine batan sivri ot saplarını tamamen yok sayıyordu. Kalçalarındaki çamur, kanla karışarak turuncuya dönmüştü.

"Sabah serinliği beni uyandırana kadar çimenlerin üzerinde yattım. En ufak hareketimde, kurumuş toprağın tenimde çatladığını hissediyordum. Ayağa kalktım ve vücudumun yandığını hissettim. Ormana arkamı dönüp, ağır ağır eve yürümeye başladım.

Işıklar yanıyordu. Babam bütün gece uyumamış, komşulara bakmış, arkadaşlarımı aramıştı. Ben eve girerken polisi aramak üzereydi. Benden çok daha kötü görünüyordu. Yüzü çok endişeliydi. Bana ne olduğunu sordu. Ben de, sanki hiçbir şey olmamış gibi, gölün çamurunda uyuduğumu söyledim. Yüzündeki ifade öfkeden şaşkınlığa, sonra da inanmamazlıktan kedere dönüştü.

Bana sürekli bunu neden yaptığımı, ne olduğunu, nereye gitti-ğimi sorup durdu. Bin tane soru. Susuyordum. O konuşmasını bi-tirene kadar sabırla bekledim. Aramızda, rahatsız edici bir sessiz-lik vardı. Gözlerimizi dikip birbirimize baktık. Bir cırcır böceği-nin, belli belirsiz sabah cıvıltısını duydum. Babamın çenesi göğ-süne düştü. Elini başına dayadı. Döndüm ve gittim."

12

Bir rüzgar dalgası arabaya çarptı ve arabayı bir o yana, bir bu yana salladı. Yol yukarı doğru eğim yapmaya başladıkça, bulutlar, en küçük bir maviliği kapatacak, güneşin geliş yönünü belirsizleştirecek, havayı, Claire'in yanağından aşağıya, gözyaşları kadar yavaş ve zarifçe süzülen ve arabaya çarpan yağmur damlalarıyla dolduracak şekilde baskı yapıyordu.

"Bir göl bulup yatmak istiyorum sadece" diye mırıldandı Claire yumuşak bir sesle.

Ateş Karınlı, Claire'in çantasından uzaklaştı. Onun pürüzsüz, genç yüzüne yandan baktı. Bir göl mü? Bir insan neden bir göl istesin ki?

"Gelmek ister misin?" Düğme'ye baktı. "Çamurun beni içine çekmesini, onun bir parçası olana kadar beni sarmalamasını istiyorum... Oraya gidip kalmak istiyorum... Sudaki bir mantar gibi boğulmak istiyorum." Sesi titremeye başladı.

Ateş Karınlı, vücudu tamamen görülebilecek şekilde daha da ilerledi. Bir insanın böyle bir şey söylediğini duymak çok enteresandı, ama acaba ne anlama geliyordu bu onun için? Yoksa o da mı vahşi olmak istiyordu?

"Benimle gel Düğme" dedi. "Balçıkta dinleneceğiz." Sonra sessizleşti. Elleri direksiyonun üzerinde titremeye başladı.

Ateş Karınlı, ona gölün nasıl bir şey olduğunu anlatmak istiyordu. Orada, insanların saklanabileceği bir yer yoktu. İnsanlar bütün gün gölde yüzemezler, çamurda çukur kazamazlar ya da çimenlerin arasında gizlenemezler. Bunlar kurbağaların yaptığı şeylerdir, insanların değil.

Çantasına uzandı ve bir tane daha kurabiye aradı el yordamıyla. "Allah kahretsin, hepsi bitmiş. Biraz daha almalıyım. Son bir mola. Yapacağım tek şey bu."

Ateş Karınlı, açık camın alt kısmındaki düz çıkıntıya tırmandı. Claire'in rüzgarda başını öne eğerek, uzakta, küçük bir dükkâna doğru yürüdüğünü gördü. Binanın arkasında, kararmakta olan gökyüzünde, uzun ağaçlar salınıyordu. Aşağıda sık çalılıklar ile koruyucu ve davetkâr çimenler vardı. Bir dizi uzun, hızlı zıplama sonucunda asfaltın kenarında ve yeni bir hayatın başlangıcında olabilirdi.

Rüzgarların getirdiği küçük kum tanecikleri sırtına yağarken, dışarısının şiddetini hissetti. Arabanın altındaki düz ve sert toprağa baktı. İlk zıplama şekilsiz olabilirdi fakat ne de olsa, artık devrilmeye alışıyordu. Hemen doğrulup yola devam edebilirdi. Arka bacaklarıyla, destek alabileceği, ince lastik şeride dokundu. Gerginleşen bacaklarını çevikleştirmek ve kararını gerçekleştirmek için kendini bir iki kez aşağı yukarı pompaladı.

Vakit gelmişti. Çömeldi ve zıplamaya hazırlandı. Saydı: bir, iki... altı büyük zıplama ve ağaçlarda olacaktı, vahşi ve kendi başına. Düğme'ye baktı ve durdu; ona hafızasında çok uzakta olan, küçük bir kızı hatırlatıyordu. Tekrar aşağıya, toprağa baktı. Bir zıplama ve dışarıda olacaktı, arabanın dışında, sonsuza dek, asla tekrar içeri girmeyecek biçimde. Tekrar oyuncağa baktı. Tanıdık görünüyordu. Yumuşak tüylerin ve kürkün ardında başka bir şey mi vardı acaba? Merakını giderilmemiş halde bırakamazdı. Zıplama bir dakika daha bekleyebilirdi.

Ön panele tırmandı ve temkinli bir biçimde Düğme'ye yaklaştı. Neredeyse hareket etmesini bekleyerek yanına oturdu. Claire'in sözleri, onu o kadar gerçek gibi gösteriyordu ki. Gözleri hareketsiz ve cam gibiydi. Tokmağını uzatıp, hayvanın soğuk ve sert tüylerine dokundu. Hiçbir canlılık yoktu. Ayıcık Claire'i asla anlayamaz, ona yardım edemez, tavsiyelerde bulunamaz, maceralarını anlatamaz ya da zor kararları düşünüp taşınamazdı. Yalnızca hareketsiz bir biçimde oturabilirdi.

Şak! Dükkanın kapısı hızla kapanmıştı rüzgarın esintisi yüzünden. Ateş Karınlı dönüp Claire'in belirmesini seyretti. Küçük bir karton poşeti sımsıkı tutuyordu, sanki içinde çok önemli bir şey varmış gibi. Rüzgarın, vahşi doğadan gelen bir sese benzeyen ıslığını dinledi. Ağaçlar, yaklaşması için, çağırma hareketi yapan eller gibi sallanıyordu. Ayının yanından ayrılıp, hızla açık pencerenin altındaki düz çıkıntıya geçti. Dışarısı, onu vahşilik ve macera vaatleriyle davet ediyordu, onu farklı olasılıklarıyla cezbederek. Ağaçlar, bir dakika öncesine göre daha yakın görünüyordu. Tek bir zıplama, birkaç hoplama ve işte orada olacaktı.

Rüzgarın arkadan vurup, saçlarını yüzüne doğru uçurduğu Claire'e baktı. Büyük bir güce karşı hareket eden, belirsiz ve yönü olmayan bir nesneye benziyordu. Öyle tek başına, öyle uzak. Kimse bilmiyordu ne yaptığını, ne düşündüğünü, arabanın içinde neler olduğunu. Bir tane daha kurabiye, ona yardım edemezdi.

Claire'in eli kapıya dokundu ve kulpu kaldırdı. Ateş Karınlı gerildi. Bacakları kaskatı kesildi. Kendini hazırladı ve koltuğa zıpladı, hafif bir rüzgar esintisi hissetti sırtında. Hemen doğrulup toparlandı ve hızla çantanın altına kaçtı.

Claire oturdu, omuzları çökmüş bir biçimde ve elleri bacaklarının yanında. Başını öne eğdi ve direksiyona yasladı. Ellerine doğru konuşmaya başladı. "Ne yapıyorum ben? Nereye gidiyorum?" Düğme'ye baktı ve gözlerini kapattı. "Neydim ben. Bir ayı olmadan önce sen pamuk ve kumaştın, ama ben, ya ben neydim?" Başını iki yana salladı ve yeniden otobana çıktı.

13

Bazen bir kenarda, fazla uzun bir süre tereddüt ederiz. Fırsat, akan bir nehir tarafından sürüklenen, yüzen bir yaprak gibi önümüze gelir. Kıyıda bekleriz, tek bir yakalama şansına sahip olarak. Zamanlamamızı çalışırız, ellerimizle suya vurarak ve yaprağın geçeceğini düşündüğümüz yere doğru hamle yaparak. Bu provayı defalarca, belki de günlerce, tekniğimizden emin bir hale gelene kadar yaparız. Ve sonra yaprak belirdiği zaman, eğer biraz tereddüt edersek, nehrin kıyısında ayağımızın kayacağından endişe edersek, fırsat gider.

"Nereye gideceğimi bilmiyorum." Claire'in sesi dümdüz ve duygusuzdu. "Geriye bıraktıklarımdan daha çok korkuyorum önüme çıkacaklardan. Geri de dönemem."

Ön panelin üzerinde devrilmiş oyuncak hayvanına baktı.

"Ne diyeceğim? Affedersiniz, arabayı almamam gerektiğini unutmuşum? Annem ve babam deliye dönecek. Büyük bir ceza verecekler. Büyük ihtimalle hapse girerim. Bin tane soruya cevap vermek zorunda kalacağım. Bunu yapmayacağım. Bunların hiçbirini yapmayacağım. Bütün param ve benzinim bitene kadar araba sürmeye devam edeceğim. Sonra da bir göl bulana kadar yürüyeceğim ve sonra çamurun içinde yatıp, tıpkı yolun kenarına fırlatılmış bir kitap gibi, yağan yağmurun ve kavuran güneşin altında solup gideceğim.

Yağmur damlaları büyümeye ve arabanın tepesine, bir teneke parçasına çarpan, bir milyon cırcır böceği gibi vurmaya başladı. Claire camları kapattı, bütün düşüncelerini de bu metal kutunun içine sımsıkı hapsederek dikkatini yola verdi. Gök gürültüsü sesleri içime doldu, sadece kulaklarımda değil, sanki bütün vücudumda yankılandı. Sudan bir çarşafın, suyun dibine batan bir cismin üzerini kaplaması gibi, yağmur, arabanın ön camına yayıldı. Claire, dışarıyı bir anlığına görmeyi sağlayan sileceklerin hızını artırdı. Bir korna sesi duyuldu, sonra kaybolup gitti.

Şeffaf, cam bir kabın içindeki bir izleyici değilim artık. Tıpkı bir sünger gibi, bu arabada olup biten her şeyi emiyorum. Ve şimdi de, tıpkı bir musluk gibi akıyor ve anladığım şeyleri paylaşıyorum.

Gözlerimi kapatıyorum ve Claire'i su dolu gökyüzünde araba kullanırken hayal ediyorum. Claire, perdeli ayaklı ve patlak gözlü bir kurbağaya dönüşüyor. Onu arkasından takip ediyorum. Batan güneşin zayıf ışığıyla, kocaman bir gölde yüzmeye başlıyor. Her dakika sanki sonmuş gibi: vur- süzül, vur-süzül, vur-süzül, sonsuz, monoton. Güneş batıyor ve Claire kayboluyor. Önce sola, sonra sağa sapıyor, yukarı, suyun yüzeyine çıkıyor ve aşağıya, suyun derinlerine iniyor. Birdenbire, uzakta karanlık bir nesne beliriyor. Nesne hızla büyüyor, büyüyor. Ağzını keskin dişler çevreliyor. Bize doğru geliyor. Claire, avcının aralık ağzına doğru yüzüyor. Ağız kapanıyor ve Claire kayboluyor. Yüzerek uzaklaşıyorum.

Gözlerimi açıp Claire'e bakıyorum. Yüzündeki o boş ifade yeniden beliriyor. Olan bitene karşı kayıtsız. Bir korunak, saklanacak bir yer araması gerekiyor. Fırtına dindikten sonra yola devam edebiliriz. Fakat, ne bulutlar, ne yağmur, ne de karanlık bana mısın demiyor. O yola devam ediyor.

Gözlerimi kapatıp, Claire'e doğru uzandığımı ve omzuna dokunduğumu hayal ediyorum. "Yavaşla, arabayı durdur" diyorum. "Fırtınanın dinmesini bekle, biraz zaman tanı. Bu şekilde araba kullanmanın hiç anlamı yok; körlemesine, tek başına, sana yol gösterecek biri olmadan."

Gözlerimi açıp ona bakıyorum. Bu basit sözcükleri ona kim söyleyecek? Ona kim söyleyecek, dünyada onun şu anda gördüğünden çok daha fazlası olduğunu. Ben küçük bir kurbağayım sonuçta, önde ve arkada birer tokmağı olan. Onun anlayabileceği şekilde konuşamam. Benim gibi küçük ve tuhaf şekilli bir kurbağa ile kafası karışık bir genç arasında, çok uzak bir mesafe, devasa bir boşluk var.

Koltuğun üzerinde geziniyor ve ayağımı kırmızı deriye vuruyorum. Beni duymasını istiyorum. Ağzımı açıp vraklıyorum, sonra bir daha ve bir kere daha. Bana bakmıyor. Sesim, sağanağın yankılanan sesinde boğuluyor. Claire, kendinden başka hiçbir şey duyamıyor.

İşte tam vakti. Bu benim seçim anım. Şu an yapacağım şey kim olacağımı belirleyecek. Hangi cırcır böceğini yiyeceğime, hangi nilüfer yaprağının üzerinde uyuyacağıma ya da nerede saklanacağıma karar vermek gibi önemsiz bir karar değil bu. Eğer bir cırcır böceğinin tadını beğenmezsem, onu tükürüp atarım. Bir nilüfer yaprağı rahat değilse, başka bir tane bulurum. Saklanma yerini beğenmezsem, başka yere giderim. Bu tür seçimler beni oyalar, mutlu eder, şaşırtır ve kendimi iyi hissetmemi sağlar. Fakat bu seçim beni değiştirecek. Bu seçimden sonra, artık önceden olduğum gibi bir kurbağa olmayacağım. Rengim şeklim değişmeyecek. Yine iki bacağım ve iki tokmağım olacak. Saklanacak delikler ve gedikler bulmak için yine oradan oraya zıplayacağım, yine cırcır böceği kaç, kurbağa zıpla oyunu oynayacağım. Fakat iyice yakından, belli etmeden bakarsanız eğer, eski derimi değiştirdiğimi göreceksiniz.

Bunu yapmamın hiçbir mantığı ve nedeni yok; ama yine de yapacağım. Beni yere atıp üzerime basabilir. Beni eline alıp, öldürene kadar sıkabilir. Beni camdan dışarıya, otobana fırlatabilir. Ya da daha kötüsü; sanki hiçbir şey yapmamışım gibi kayıtsız kalabilir.

Bunu inanarak yapacağım, refleks olarak değil. Kurbağaların her yerde, her zaman yaptığı şeyi yapacağım: zıplayacağım. Havaya doğru zıplayacağım. Şimdiye kadar yaptığım en büyük sıçrayışımı gerçekleştireceğim. Vücudum şişsin ve genişlesin diye, bir ağız dolusu hava çekeceğim içime. Başımı dik ve sağlam, sırtımı düz ve gergin, kararımı sabit tutacağım. Kucağına, hak edilmemiş bir hediye gibi inivereceğim.

Çömeliyorum. Arka ayağımı ve tokmağımı arabanın koltuğundaki küçük dikiş yerlerine sürtüyorum. Bacaklarım sımsıkı kıvrılmış ve büzülmüş durumda. Kaslarım gergin ve sıkı, en son hamleye kendimi hazırlıyorum. Uçtuğumu ve döndüğümü hayal ediyorum; havada uçuyorum dönüyorum, batan ve doğan güneş gibi, gökyüzünde süzülen kırmızı karın.

Ve işte gidiyorum. İtme. Atılma. Zıplama. Havada yukarı, yukarı, yukarı gidiyorum, yüksekte, hayal bile edemeyeceğim kadar yüksekte uçuyorum. Dönüyorum, dönüyorum, baş dönmesi. Ön ayaklarım geriye doğru kıvrılıyor, vücuduma sıkıca bastırarak. Arka bacaklarım sonuna kadar uzanıyor. Vücudum bir yılanın kayganlığında kıvrılıyor. Manevra yapan bir doğan gibi havayı yaran bir dönüş yapıyorum. Karnım yukarıya, arabanın tepesine doğru, bulutlara doğru, Claire'in yüzüne doğru ışıltılar yayıyorum. Parlıyorum, parıldıyorum, yanar döner oluyorum; evet korkunç ve dehşet vericiyim. Claire, ön cama bakmayı bırakıp, arabada uçan ateş kırmızılığını gözlerinde şaşkın bir ifadeyle izliyor. Kaşları yukarı kalkıyor, ağzı aralanıyor, gözleri büyüyor. Kucağına indiğim sırada kendi kendime bağırıyorum.

Ateş Karınlı'nın gücüne dikkat edin!

14

"Defol, seni pis hayvan!" Claire, başını öne eğip, kucağında hareketsiz, kaskatı ve istenmeyen kırmızı bir leke gibi yatan Ateş Karınlı'ya bakıyor. Yüzünü ekşitiyor, buruşturuyor, şaşırmış ve kafası karışmış bir ifadeyle kaşlarını çatıyor. Ağzını kapatıyor, gelebilecek kötü kokuları engellemek için yatığımız gibi belli belirsiz nefes alarak.

"İğrenç!"

Başını geriye doğru çekiyor. Dudaklarına ve burnuna bastırıyor. Sanki Ateş Karınlı ezilmesi gereken bir böcekmiş gibi elinin tersiyle.

Yakındaki bir arabanın tekerleklerinden tiz bir ses duyuluyor aniden. Claire hemen direksiyona sarılıyor. İki elliyle asılıyor. Titreyerek, yola bakmaya zorluyor kendini. Araba birdenbire yoldan çıkıyor.

Bunun kesinlikle bir rüya olduğunu düşünüyor. Çok fazla kahve, çok fazla çikolata, yetersiz uyku. Kucağımda hiçbir şey yok, kaygan ve iğrenç hiçbir şey yok. Belki de sadece yorgunum ve hayal görmeye başladım. Belki de sadece arabada unutulan bir gazete veya dergiden yırtılmış, kırmızı bir kağıt parçasıdır. Öyle olmalı. Rüzgar, kağıdı havaya kaldırıp kucağıma bırakmış olmalı. Sadece kağıt, o kadar.

Claire arabanın içine bakındı, vücudunu öne arkaya döndürerek. koltukları ve yerleri aradı. Biz bir açıklama, yırtılmış ya da kopmuş bir şeyler arayarak.

Düğme'nin, bir kenara atılmış bir oyuncak gibi yan yattığını fark etti. O, Claire'in çocukluğuyla bağlantısı, bir sıyrığın bir kucaklama ve bandajla iyileştirilebildiği, karmaşık bir sorunun basit bir sözcükle cevaplanabildiği, Ruffles'in kuyruğunu sallayarak, ona daima sıcaklığını ve heyecanını vererek, hiç değişmeyen bir coşkuyla karşıladığı, her türlü problemin kolaylıkla çözülebildiği çocukluk yaşamının bir hatırasıydı.

Düğme'yi kaldırıp onunla konuşmak, ona ne yapması gerektiğini sormak istiyor. Düğme'nin onun arkadaşı olmasını, ona neler olduğunu, kucağında yatan garip nesnenin ne olduğunu anlatmasını istiyor. Yanağından aşağıya bir damla yaş süzülüyor. Uydurma arkadaşların ve akşamüstü çay partilerinin zamanı çoktan geçti. Düğme yalnızca bir oyuncak hayvan. Köpeğiyle birlikte, çocukluğunun bir bölümünü de gömdü Claire.

Claire tekrar yola bakıyor ve derin derin nefes alıyor. Başını öne eğip kucağına bakıyor, bir süre parıldayan kırmızı et yumrusunu seyrediyor. Sonra hızla kafasını yukarı kaldırıyor. Elleri, sanki parçalanan bir kaya parçasını taşıyormuşçasına titriyor direksiyonda.

Yanından arabalar geçiyor, camlara çamurlu sular sıçratarak. Sürücüler sesleri uzakta kaybolup gidene kadar kornaya basılı tutuyorlar ellerini. Yol karanlıkta, kalın bir sis tabakasında giriş ve çıkışları fark edilmez olmuş, gri bir tünel gibi. Yağmur, beyaz ve gürültülü bir fırtına halinde çarpıyor arabaya, içeriye sızmaya çalışarak.

Bir damla yaş daha süzülüyor Claire'in yanağından aşağıya. Yola daha dikkatli bakıyor. Omuzları gevşiyor, sırtı dikleşiyor, duruşu dengeli bir hal alıyor. Kucağına bakıyor. Dümdüz bir sesle, herhangi bir duygu içermeyen bir ses tonuyla kafasını yavaşça öne, kucağına doğru eğiyor. Merak ve şaşkınlıkla öylesine bir soru dökülüyor ağzından, "Kimsin sen?"

Ateş Karınlı kımıldamıyor. Hareketsiz kalıyor. Geri çekilmeyecek, utanıp kaçmayacak ya da Claire'in sözlerinin kararını etkilemesine izin vermeyecek. Claire'in karşısında, dimdik duruyor; parıldayan, güneş lekeli bir cilt, bilinmezlik, beklenmezlik ve açıklanamazlık. O kararını verdi, şimdi de Claire'in kararını vermesi gerekiyor.

Ateş Karınlı karnının üzerine yuvarlanıyor, çömelerek kurbağa duruşu alıyor ve gözlerini dikip Claire'e bakıyor. Birkaç kez göz kırpıp yumuşak bir tonda vraklıyor.

"Bir kurbağa?" diyor Claire aşağıya bakarak. "Bu imkansız. Şimdi de yeşilsin. Nesin sen? Bukalemun mu?"

Ateş Karınlı kendi kendine gülüyor.

"Bir kurbağa... bir kurbağa." Claire mırıldanıyor. "Arabayı durdurmam gerek." Ses tonu yumuşak ve güven verici.

Arabayı yolun kenarına çekiyor. Ter damlaları alnından süzülüp solgun yanaklarına akıyor. Titremeye devam ederek, ileriye, camdan dışarıya bakıyor, yanından hızla geçen, arabaları seyrediyor. Ön panele uzanıp farları yakıyor.

Yeniden eğilip Ateş Karınlı'ya bakıyor. "Artık o kadar korkunç değilsin. Kurbağa gibi görünüyorsun. Ama kesinlikle, buralarda pek görünmeyen, tuhaf bir tür kurbağa. Kurbağalardan korkmam, onları merak ederim ve kafamı karıştırırlar. Beni şaşırttın, hepsi bu. Küçükken, evcil bir kurbağam vardı."

Claire dikkatle arabanın içini ve pencereleri inceliyor. "Buraya nasıl girdin? Pencereden içeri mi zıpladın, yoksa durup kapıyı açtığım zaman mı içeri girdin? Kocaman bir zıplama olmalı... Kim bilir nasıl bir hikayen vardır anlatabileceğin?"

Tekrar Ateş Karınlı'ya dönüyor ve dikkatle ona bakıyor, başını bir sağa bir sola çevirerek, bu davetsiz misafiri inceleyerek. "Sadece iki bacağın var! İki bacak!" diyor. "Bu çok tuhaf. Sıra dışı. İnanılmaz! Nereden geldin? Ne zamandır buradasın?"

Başını iyice Ateş Karınlı'ya doğru eğip, cildinin dokusunu ve rengini inceliyor. "Nereden geldiğini bilmiyorum ama kesinlikle burada, otobanın ortasında, evin her neredeyse, oradan uzakta, terk edemem seni. Aç mısın, susuz musun?"

Ateş Karınlı yavaşça göz kırpıyor. Açlığını unutmuş. Şu anda yemek dışında bir şeye aç.

"Soruma cevap verebileceğinden şüpheliyim, ama biliyorum, sana biraz su ve yemek verip, kalabileceğin rahat bir yer bulmalıyım. Ayrıca çok da şekersin."

Sıcacık, tanıdık bir duygu sarıyor Ateş Karınlı'yı.

Claire avucunu açıp elini kucağına koyuyor. Ateş Karınlı avucuna çıkıp, hareket etmeden oturuyor. Claire'in elleri bedenini sarmalıyor. Onu kaldırıp yüzüne yaklaştırıyor. Gözleri buluştuğunda, düşünceleri birleşiyor. Bu kocaman ve karmaşık dünyada, neyin bu iki tuhaf yaratığı bir araya getirdiğini merak ediyor ikisi de. Claire onu yüzüne yaklaştırıyor, alt dudağını ağzına değdiriyor ve yavaşça uzaklaştırıyor.

Claire Ateş Karınlı'yı tekrar kucağına koyuyor. "Burada kal ve hareket etme. Sana yardım edeceğim." Arabayı çalıştırıp iki yana bakıyor. Fırtınadan uzaklaşıyor.

15

"Bak, peşimizdeler işte." Claire, endişeli bir biçimde yoldaki bir polis arabasını işaret ediyor. "Eğer beni tutuklarlarsa, beraber gideceğiz; kaçmama yardım edebilirsin." Solgun yüzünde hafif bir gülümseme beliriyor. Kucağındaki küçük kurbağayı alıp, onu dikkatle ön panele yerleştiriyor.

Ateş Karınlı bir iki kez arkasına dönüyor, bakışlarını Claire ve arabanın içinde gezdirerek. Neler olduğundan pek emin değil. Ne yapacağını pek bilmiyor.

Görüntüler birdenbire duruyor. Görüntüler, dışarıdan arabaya doğru uzanan, cama yaslanmış yüzlerden oluşan bir sıraya dönüşüyor. Birdenbire ön kapı açılıyor. Gölgeler yavaş yavaş, insanların işaret eden parmaklarına dönüşüyor. Dikkatle çimenlikten aşağıya, kaldırıma doğru yürüyorlar.

Claire ellerini Ateş Karınlı'ya doğru uzatıyor. Ateş Karınlı onun sıcak ve nemli ellerine tırmanıyor. "Bütün açıklamaları sen yapmak zorunda kalacaksın." Ayağıyla kapıya hızlı bir tekme atarak kapatırken, sırıtıyor ve kıkırdıyor. Kalabalık kırmızı arabayla aralarında geniş bir mesafe bırakarak çimenliğin ortasında durup bekliyor.

"Claire, iyi misin?" diye sesleniyor babası.

Claire kaldırımda duraklıyor ve herkesin yüzündeki farklı ifadeye bakıyor. Annesi ve babası şaşkın bir biçimde bakarak yan yana duruyor. Mavi üniformalı iki adam, kenarda duruyor, kollarını kavuşturmuş ve kaşlarını çatmış bir biçimde. Birkaç komşu, merak ve ilgiyle uzaktan seyrediyor. Bu tuhaf kalabalığın en arkasında ise batan güneşin ışıklarıyla yüzü aydınlanmış olan, Bay Levante var.

Claire elleriyle güvenli bir biçimde sarmalıyor Ateş Karınlı'yı, yavaşça kalabalığa doğru yürümeye devam ediyor. "İyiyim" diyor, sesi yumuşak, kendinden emin.

Ateş Karınlı kımıldanıyor. Bacaklarını Claire'in ellerine vuruyor ve kafasını parmaklarının arasından çıkarmaya çalışıyor.

"Kes şunu" diye fısıldıyor Claire.

"Ne dedin?" diye soruyor birisi. Kalabalığın gözleri ona odaklanmış bakıyorlar, ağızları aralık fakat konuşmuyorlar. Koca bir zıplama mesafesi kadar ötede duruyor. Ne yapacaklarını ve ne diyeceklerini bilmeden kenetlenmiş avuçlarına bakıyorlar. Claire hiçbir açıklama yapmıyor. Hareket etmeden duruyor, onların karar vermesini bekliyor.

"Ellerin iyi mi?" diye soruyor babası.

"İyi."

"Ne var elinde?"

Ateş Karınlı yüzünü parmaklarının arasına sokuşturup kafasını dışarı çıkarıyor. Saldırmak üzere olan vahşi bir hayvan gibi, delici bakışları olan bir göz güruhu, dik dik ona bakıyor. İçgüdüsel olarak, geriye doğru yuvarlanıp, ateş kırmızısı karnını şişiriyor.

"Yapma şunu. Gıdıklanıyorum" diyor Claire.

"Ne?" diye soruyor babası.

Kalabalığın yüzleri, eğilip Claire'in ellerine bakıyor. Yavaşça, uzanıp parmaklarını ayırarak avuçlarını açıyor. Güneşin son ışıkları Ateş Karınlı'nın karnına yansıyor.

"Bak" diyor Claire.

Hiç kimse hareket etmiyor. Hiç kimse ses çıkarmıyor. Bir süre öylece kalıyorlar. Claire Bay Levante'ye bakıyor. Gözleri buluşuyor. Bay Levante gülümsüyor ve başını öne doğru sallıyor.

"Bu da ne böyle?" diye soruyor memurlardan biri.

"Bu benim arkadaşım. Çok aç ve susuz ve benim onunla ilgilenmem gerekiyor."

"Nereden buldun onu?" diye soruyor birisi.

"Arabanın içindeydi ve yardıma ihtiyacı vardı."

Ateş Karınlı, Claire'in ellerinde yuvarlanıyor ve benekli yeşil derisini göstererek, fiyakalı bir biçimde yürümeye başlıyor. Oturup kalabalığa bakıyor. Kımıldamadan duruyor.

"Gördün mü?" diye soruyor birisi. "Dönüp renk değiştirişini gördün mü? Kurbağa mı? Kara kurbağası mı?"

"Belki de bukalemundur" diyor bir diğeri, parmağını uzatıp dürtmek için yaklaşarak. "Canlı mı?"

Claire ellerini geri çekiyor ve aval aval bakan adama yan dönüyor. "Tabi ki canlı." Ateş Karınlı'yı daha yukarı kaldırıyor, insanların gözlerinden ve uzanan ellerinden kaçırıyor. Ateş Karınlı, sık çalılardan oluşan engelleri aralıyormuş gibi ilerliyor yolda. Kalabalıktaki yüzler, önce gizemli yaratığa, sonra da aşağıya Claire'e bakıyor. Kalabalıktaki bedenler kenara çekilip Claire'e yol açıyor. Hiç kimse bir şey söylemiyor. Hiç kimse onu durdurmaya çalışmıyor.

Bay Levante'nin yanından geçerken, Claire durup başını öne eğiyor. Bay Levante elindeki kurşun kalemi parmaklarının arasında döndürürken başıyla onaylarcasına gülümsüyor.

"Biliyorum" diyor Claire. "Bir şair gibi dinliyorsun. Başkalarının alâkasız bulduğu kelimeleri nasıl bir araya getireceğini biliyorsun. Fikirlerin yaşamımızı nasıl şekillendirdiğini biliyorsun." Avucunu açıp, Ateş Karınlı'yı gösteriyor ona. "İşte bu benim muhteşem fikrim."

"Seni yarın sabah ofisimde görmek isterim."

"Beni çizdiğin o resmi alabilir miyim?"

"Tabi ki" diyor Bay Levante.

"Resmi tamamlamak istiyorum" diyor Claire. "Erken gelirim."

"Güzel."

"Affedersiniz hanımefendi" diye araya giriyor bir memur, "fakat size araba hakkında soru sormamız gerekiyor."

Claire dönüyor ve duruyor. "Evet?"

"Bu aracı kullanmamanız gerektiğini biliyor musunuz?"

"Evet, biliyorum. Fakat bir şey aramam gerekiyordu. Arabayı aldığım için özür dilerim. Kimseye haber vermediğim için de özür dilerim. Gitmemem gerektiğini biliyorum. Ama şimdi buradayım işte." Sözleri kısa ve kesik kesikti ve herhangi bir pişmanlık ya da üzüntü belirtisi içermiyordu, sadece ilgisiz ve duygusuzca sıralanmış bazı gerçeklerden ibaretti.

"Biliyorsun... " Memur bir şeyler eveleyip geveliyor. "Yaptığın şey... " Duruyor. Ellerini cebine sokuyor ve ayaklarını yere sürtüyor. Tek tek büyüklere ve sonra tekrar Claire'e bakıyor. Küçük hanım" diyor, "lütfen bize ne aradığınızı söyler misiniz?"

Claire ellerini uzatıyor. Ateş Karınlı korkusuzca, dimdik oturuyor avucunda. "Bakın. Kaybolmuş bir arkadaşımı arıyordum. Adı... adı... Empa; empatideki gibi. Sormak istediğiniz bütün soruları seve seve cevaplarım, fakat önce ona yiyecek, su ve dinlenebileceği rahat bir yer bulmalıyım. Olağandışı bir yolculuk geçirdi."

"Peki... " memur içini çekti. "Bu artık siz ve ebeveynleriniz arasındaki bir mesele. Biz gidiyoruz."

"Claire" dedi babası. "Çok endişelendik. Nereye gittiğini bilmiyorduk. Ruffles için çok üzgünüm. İstersen..."

"Anlıyorum" diye araya girdi Claire. "Artık bu konuda konuşmak istemiyoruz." Bir avuç dolusu yağlı boya ve kocaman bir tuval alıp, elleriyle renkleri karıştırmak ve böylece babasının onu anlamasını sağlamak istiyordu. Babasının, şaşkınlıktan ve hayretten gözlerini yaşartacak bir şiir yazmak istiyordu. Onunla omuz omuza, sırtlarını gölün balçığına dayayarak yatıp, alacakaranlıkta gökyüzünü aydınlatan yıldızları seyretmek istiyordu. Yüzlerinin bir karakalem çizimini yapmak istiyor, ona ne olduğunu, neyin değiştiğini, iki bacaklı bir kurbağa kadar basit bir düşüncenin bile ne kadar güçlü olabileceğini göstermek istiyordu.

Claire açıklayamıyordu. Sadece susarak cevap verebiliyordu. Sorunları, bir oyunun son perdesi gibi çözümlenmemiş ya da yerine yapıştırılan bir seramik parçası gibi tamir edilmemişti. Bildiği tek şey, bazen, hayatın sivri kenarlarını aşmak için gereken tek şeyin bir çift ince tabanlı ayakkabı olduğuydu.

Ebeveynlerinin korkularını ve endişelerini hafifletecek, yerinde söylenmiş sözler yoktu, hikayeyi dolduracak bir drama yoktu, herkesin kabul edebileceği bir anlayış ışığı yoktu. Onun yerine, sadece, Claire'in çocukluk günlerindeki o mutluluğuna asla dönemeyeceğini fark edişi vardı. Artık, karışıklık ve yanlış anlama, öfkeli konuşmalar ve acı veren kayıplar, yaklaşma ve uzaklaşma, telafisi olmayan keder ve bitmek tükenmek bilmeyen neşe, vahşi olma ve ilgilenme zamanıydı. Hikayesinin ortasına girmişti, yaşamın, her birimizin yarattığı bölümüne, tutkularımızı dünyaya taşıyan bölüme.

"Baba, akvaryum nerede? Hani eskiden balıklarımı koyduğum? Bu gece onu tamir edip Empa'ya ev yapmam gerekiyor. Uzun bir gündü. Çok yorgunum. Bir daha, sana haber vermeden hiçbir yere gitmeyeceğim. Şu anda, bir süre burada kalıp kurbağamla ilgilenmek istiyorum."

Sonsöz

Ben hiçbir zaman vahşi olmayacağım. Hiçbir zaman, ağaçlar ve uzun bitkilerle çevrili bir gölde yüzmeyeceğim. Hiçbir zaman, uzun uzun zıplayıp, uzak diyarlara yolculuk yapamayacağım. Yüzen nilüfer yapraklarının üzerindeki çiğ damlalarından yansıyan, sabahın güneş ışıklarının pırıltısını göremeyeceğim. Onun yerine, sınırları ve kenarları olan bir dünyada yaşayacağım hep. Hep, sınırlı ayak çırpma ve kısa süzülmelerle yüzeceğim. En fazla iki kere zıplayabileceğim, sonra geri dönmem gerekecek. Dünyayı koruyan, sınırlayan, şeffaf cam duvarların ardından izleyeceğim.

Tüm bunları olan biteni anlamak için söylüyorum, herhangi bir kayıp ya da mutsuzluğu tarif etmek için değil. Dört tane bacak, bir sürü cırcır böceği ve sınırsız bir ufuktan çok daha fazla istenebilecek şeyler var. Bazen, bir çıkmazımız ve sadece iki seçeneğimiz olduğunda, ile de ikisinden birini kabul etmek zorunda değiliz, diğer olasılıkları görmeliyiz.

Pek çok evcil hayvan, kendileriyle ilgilenecek birine sahiptir, fakat çok azı, özellikle de kurbağalar bir başkasıyla ilgilenme şansına sahiptir. Ben artık, sadece iki bacaklı ve ateş kırmızısı karınlı bir kurbağa değilim. Benim benzersizliğim, tek bir bakışta görebildiğinizden çok daha fazla. Eğer zaman ayırıp yakından izlerseniz, vahşi kalbimin camdan geçip şu küçük kıza aktığını görebilirsiniz. Eğer ona bakarsanız benim şu küçük bedenimin onun dünyasını nasıl etkilediğini göreceksiniz. Bir yanımın, kurbağaların girme ayrıcalığına sahip olmadığı dünyalara nüfuz ettiğini göreceksiniz.

Claire için bu karmaşık dünyada büyük bir gizem, bir anlam işareti olarak kaldım. Bunu düşününce gülümsüyorum ve bir zamanlar tanıdığım yaşlı bir kurbağayı hatırlıyorum. Kim olduğum ve ne olabileceğim, benim için artık çok açık. Belki bir gün, Claire de ne olabileceğini anlayabilir. Ben sihirli değilim. Büyü değilim. Öyle, bir rüyadan çıkıp gelmedim. Sadece bir seçim yaptım, sadece bir kereliğine arkama bakmamayı seçtim.

Yine de geriye dönüp küçük Caroline ve babasıyla pek çok gün geçirdiğim o evi *düşünüyorum*. Kaybolduğum için hâlâ üzgün olup olmadığını merak ediyorum. Benim yerime başka bir kurbağa aldı mı? Büyük ihtimalle evet. Peki babası gittiği o yüksek dağlarda yürürken, küçük, iki bacaklı ateş karınlı kurbağayı hiç düşündü mü? Büyük ihtimalle hayır.

Hayatlarından çıkıp gittim, fakat ortada bir üzüntü yok, çünkü ne yaptığımı bilseler, onlar da mutlu olurlardı. Eğer tek bir dilekte bulunacak olsaydım, son bir kez o küçük kızla ve babasıyla konuşmak isterdim. Dünyaya dair öğrendiklerimi söylerdim onlara. Dünya kocaman bir yer, herhangi bir insanın hayal edebileceğinden ya da ölçebileceğinden çok daha büyük. Bu dünya üzerinde, asla öğrenemeyeceğimiz küçük ve önemsiz aynı zamanda ilginç ve hayret verici pek çok şey oluyor. Etrafımızda sürekli muhteşem şeyler oluyor, fark edilmeyen ya da dikkate alınmayan muhteşem şeyler, sadece ufak tefek ayrıntıları açığa çıkan, karmaşası içinde kaybolup giden muhteşem hikayeler.

Hiç kimse hikayenin tamamını bilmiyor, fakat bazen, yaşamımızda hareket eden gölgelerini görüyoruz. Ve o kısacık anda, *var olmanın* anlamını kavrıyoruz.

NOT

*ateş karınlılar ve varoluşçulukla ilgili
biraz daha fazlasını öğrenmek isteyenlere*

Ateş karınlı kara kurbağaları

Evet, ateş karınlılar gerçekten var. Daha çok bilinen isimleri Asyalı ateş karınlı kara kurbağası olsa da aslında ne "gerçek kara kurbağası" ne de "gerçek kurbağa" olmadıkları için siz onlara kurbağa diyebilirsiniz. *Bombinatoriade* diye adlandırılan familyaya dahildirler. Bu *Bombina* türünün altında, altı alt tür daha bulunmaktadır ki ateş karınlı bunlardan *orientalis*'lere dahildir.

Asyalı ateş karınlı kara kurbağaları, Çin, Kore ve Tayland'ın bazı bölgelerinde, 1500-3000 metre yükseklikler arasında, nehir ve göl kenarlarındaki ılıman ve nemli yerlerde yaşarlar. Artık onlara, oldukça popüler oldukları evcil hayvan mağazalarında sıklıkla rastlanıyor, çünkü bakımları kolay, dikkat çekici ve eğlenceliler.

Bazen sessizdirler, özellikle dişiler hiç ses çıkarmıyor gibi görünür. Bazen de erkekler, gece gündüz, hiç ara vermeden, köpek havlamasına benzer bir ses çıkarırlar.

Çiftleşme zamanlarında, erkek kurbağa kendine yaklaşan herhangi bir kurbağanın arkasına zıplar. Eğer kurbağa erkekse, alttaki kurbağa "yanlış" anlamına gelecek şekilde vraklar. Eğer dişiyse, sırtına biner ve dişi dolaşarak yumurtalarını sığ sulardaki kayaların ve bitkilerin yakınlarına boşaltırken, onları döller. Birkaç gün sonra yumurtalar çatlar. Minik larva, ilk haftasını yumurta kesesini yutmakla geçirir ve sonra suda yüzen minicik ve lezzetli yiyecek kırıntılarını yemeye başlar. Yaklaşık 6-8 haftalıkken, arka bacaklar ve akciğerler oluşmaya başlar. 8-14 haftalıkken, ayaksız kurbağa yavrularının kuyrukları bedenleri tarafından yutulur ve sürünerek karaya çıkarlar. Pek çok kurbağa ve kara kurbağasının aksine, ateş karınlının dili, ağzından dışarıya uzanmaz. Avına iyice yaklaşmak zorundadır ve görmesi gereken tek şey, son bir anten kımıltısı ya da bir bacak hareketidir. O zaman, ağzı açık bir biçimde, aniden avının üzerine çullanır.

Bir ateş karınlı korktuğu zaman, suyun içinde saklanmaya çalışacaktır. Eğer karadaysa, kafasını kaldıracak ve karnının göz alıcı renklerini gösterecektir. Eğer aşırı derecede korkmuşsa, yuvarlanacak, bacaklarını uzatacak, ateş kırmızısı karnını şişirecek ve minicik, parlak damlalar halinde, zehirli, süt beyazı bir madde salgılayacaktır. Bu benzersiz savunma pozisyonundayken, ateş karınlı, kesinlikle benekli yeşil bir kurbağaya benzemez. Parlak karnı "geri çekil" diyen, güçlü bir uyarı görevi görür. Bir ateş karınlıyı, bu kadar korkmuşken gördüğüm sırada, iki küçük kız, bir banyo küveti ve bir miktar sıcak su da olaya dahil olmuştu.

Bir ateş karınlıyla dost olmak istiyorsanız, lütfen ona iyi bakın, onu cırcır böcekleriyle besleyin, kabını temiz tutun ve çok gerekmedikçe onu elinize almayın. Onu sevin ve sayın; bir kurbağanın ne düşünüyor olabileceğini asla bilemezsiniz.

Varoluşculuk

Martin Heidegger'in *Varoluş ve Zaman* ya da Jean-Paul Sartre'ın *Varoluş ve Hiçlik* gibi kitaplarını elinize aldığınız zaman, bu kitapların sadece ağırlıkları bile ürkütücüdür, neredeyse aşılmaz metin dağlarından bahsetmeye gerek bile yok. Bu kitaplar, parlak entelektüellerin önde gelen eserleri mi, yoksa ancak münzevî sabit fikirlilerin, yaratıcı tuhaflıkları mıdır? Ne düşünürsek düşünelim, sonu gelmeyen paragraflar ve iç içe girmiş cümlelerden kararmış sayfalarda gezinirken, fikirlerin gizemi bizi çeker.

Bir yazar olarak, ışıkla parıldayan, muhteşem fikirlere yeni bir hayat kazandıran, bu tür kalın kitapları karıştırmayı severim. İlk ışık, hem Ateş Karınlı'nın hem de varoluşçuluğun ana temalarından birini, hem basit hem de karmaşık olan bir konuyu, bir zamanlar ele avuca sığmaz kabul edilen, yakından tanıdığımız halde, kavrayabilmek için uğraştığımız bir fikri: varolma düşüncesini aydınlatmaktadır.

Varolma'nın tanım ve tasvirine dalmak yerine, araştırmaya, yakınlardaki bir zirveye çıkıp, sonra da bu bulunmaz varlığa doğru inerek başlamak isterim. Tırmanmak istediğim dağın adı *Rakam*. Hepimiz biliriz rakamları. *Rakam*'ın nasıl miktar, uzunluk ve sırayı tarif etmek için kullanıldığını çok net bir biçimde anlarız. Örneğin, üç kurbağa, beş ton ya da dokuz metre gibi şeylerden bahsediyorsak, kaç tane ya da ne kadar uzunluğu tarif edebilmek için *rakamları* sıfat olarak kullanıyoruzdur.

Eğer, *rakamları* isim olarak kullanıyorsak, "Bende *üç* var" ya da "*Üç* ile *üçü* topla" da olduğu gibi, soyut tadı almaya başlarız. *Rakam'*ı bu şekilde örneklere sığınmadan tanımlayamayabiliriz, fakat onu nasıl kullanacağımız, nasıl düşüneceğimizi ve hakkında ne konuşacağımızı biliriz. Zerre kadar tereddüt etmeden ya da somut olma gereği duymadan, soyut *rakamlar'*ı her zaman toplarız.

Rakamları tanımlamak adına, Bertnard Russell eğer iki varlığın *rakamları* aynıysa, o zaman, bire bir benzer şekilde eşleştirmelerinin yapılabileceğini öne sürmüştür. Üç yaprak ve üç kademe mutluluğun arasına hayali çizgiler çizmeyi düşünün. Bir isim ister soyut, ister somut olsun, aynı rakamlara sahip olan şeyler arasında benzer bir eşleştirme yapılabilir. Örneğin, eğer *üç* rakamını sıfat olarak kullanıp, aklımıza gelebilecek bütün nesnelere uyarlarsak, soyut isim olan *Üç'*ü (büyük harfle) anlamaya başlarız. *Üç*, bu eşleştirmeden çıkan sonuç ve ilişkidir. *Dört* ve *Beş* gibi diğer rakamları da benzer şekilde ele alırsak ve sonra bu eşleştirme örüntüsüne, tüm sayıları, her şeyi tanımlayacak şekilde dahil edersek, Büyük R ile yazılan *Rakam'*ın düşünce ötesine, aynı zamanda doruğuna ulaşmış oluruz.

Artık, fiziksel olanı geride bırakıp, metafiziğin yoğunluğu azaltılmış atmosferine yaklaşıyoruz. Buradan, saf düşüncelerin alanını ve daha aşağıda asla hayal bile edemeyeceğimiz bir soyutluğu görebiliriz.

Bu noktada bir dakika durup, bir el çabukluğu yapmak istiyorum. Varlık adındaki başka bir dağa doğru süzülmek istiyorum. Her ne kadar, sadece belli bir yüksekliğe kadar çıkıp iniş yapsak da bu yeni perspektifle, dünyadaki *varlıklar* sorusuna ilişkin yeni bir eşleştirmeden bahsedebiliriz. Örneğin, bir kurbağa ve insan ne paylaşabilir? Yapabileceğimiz en temel, birebir eşleştirmeler nelerdir? Bu metafizik ortamda, iki şeyin paylaşabileceği fiziksel özelliklerin benzerliğini (örneğin, hem kurbağaların hem de insanların kalpleri, gözleri, beyinleri, vs. vardır) bulmaya çalışmıyoruz. Onun yerine, *rakam'*ın kullanımını soyuttan somuta çevirmemize benzer bir soyut ilişkiyle ilgileniyoruz.

Nesneleri alıp, özelliklerini belirten sıfatları atıp, kalana baktığımız zaman, anlayışta bir kayma meydana geliyor. "Rengi, boyutu, şekli, dokuyu ve kokuyu, duyguları, hikayeleri ve fantastik düşünceleri çıkardığınız zaman, geride ne kalır? Adlandırabileceğiniz her şey yok olup, yaşamlarımızdan çıktığı zaman, ne kalır?" Sartre'ın buna verdiği cevap *var olmak.*

Şimdi artık hızlı tırmanıyoruz. Yükselme baş döndürücü. İşte burası profesyonel filozofların takılıp *Var olmak* (büyük V ile) gibi şeyler hakkında konuşmayı sevdikleri ve çoğumuzun, bir insanın nasıl olup da böyle konuşabileceğini merak ederek kafamızı kaşıdığımız yerdir. Yukarıda uzun bir süre kalmak yerine, biraz daha küçük olan, başka bir dağa uçmak istiyorum. Bu zirveyi rahat, anlaması kolay ve tanıdık bulacaksınız. Bu zirvede, *ben* adı verilen bir şey bulacağız.

Uyarı: ileride sarp kayalar var!

Size *ben*'i anlatmadan önce, bir uyarıda bulunmam gerekir. Bu noktadan, tüm dünya, sadece insanın bilincinde var oluyor. *Ben*'in dünyadaki tek dağ olduğunu ve geri kalan her şeyin sadece karışık bir rüya olduğunu düşünmek hatasına düşmek oldukça kolaydır. Eğer sadece *ben*'in var olduğuna ya da *ben*'in önemli olan tek *varlık* olduğuna inanmaya başlarsak, solipsizm adı verilen aşırı ben merkezciliğe kaymaya başlarız. Bu düşüncenin ne kadar ciddiyetle ele alındığını görmek isterseniz, Gabriel Gale'in, genç bir solipsist olarak G.K.Chesterton'un deneyimlerinden esinlenip yazdığı *Şair ve Deli* adlı kitabını okuyun. Solipsizmi anlarsanız, son derece merak uyandırıcı bir hikayedir; anlamazsanız, sadece eksantrik bir yazarın tuhaf hikayesinden ibaret olacaktır sizin için.

Solipsizmi çürütmenin tek mantıklı yolu, imkansızı gerçekleştirmektir: başka biri olmak. "Sadece bir dakika için, dünyayı bir başkasının gözünden görmeye yetecek kadar, başka biri olmak istiyorum. Renkler aynı mı görünüyor, acı aynı etkiyi mi yapıyor, kelimeler aynı anlama mı geliyor, bilmek istiyorum. Hayatımın ne kadarının, sadece içinde yaşadığım bir hayalden ibaret olduğunu bilmek istiyorum... Eğer sadece bir dakikalığına, bir başkası olabilseydim, çok şey öğrenirdim."

Heidegger'ın çok ilginç bir yöntemi vardır *ben*'den bahsetmek için; *Dasein* (anlamı orada olmak) kelimesini kullanır, benzersiz varlıklar olan bizlerden bahsetmek için. Bizim *var oluşumuzun* (Almanca *Sein*) benzersizliğinin aslında dünyadaki zaman ve mekanımızla, *orada olmak*'la (Almanca da) bağlantılı olduğunu öne sürer. İşte bu, zaman ve mekanda yaşama durumu, bizi benzersiz bir biçimde insan yapar ve bizi, çağların ve kültürlerin ötesine geçen bir evrensel insan doğasına sahip olmaktan alıkoyar. Doğduğumuz yılı ve yaşadığımız toplumu değiştirin, kim olduğumuz ve ne olabileceğimiz tamamen değişir. "Kim olduğum, ne yapabileceğim ve nereye gidebileceğimi belirleyen ben değilim. Başka her şeyin ve herkesin sınırları, sahip olduğum olasılıkları şekillendiriyor... Düşünme ve inanç şeklim, nasıl davranıp hareket ettiğim, bana baskı yaparak hayatımı yöneten toplumun bakış açısı mı bilmek istiyorum. Eğer başka bir *yerde*, başka bir *zamanda* olsaydım, tüm oyunlardan arınır ve geriye kalanın ne olduğunu keşfederdim."

Dasien'i anlamak, önemli bir kültürel başarıdır, şu anda anlamı o kadar açık ki bir zamanlar oldukça radikal bir fikir olduğunu unutuyoruz. Bir subayın, yanmakta olan ve yağmalanmış bir düşman şehrini gezdiğini hayal edin. Askerler, büyük coşku içindeyken gelir oraya. Şehri saran alevlerin ve yıkımların arasında, yeni doğmuş bir bebeğin, ona son derece tanıdık gelen ağlamasını duyar. Atından iner, bebeği alır ve kollarında sallar. Kendi kendine sorar, bu bebeği benim bebeğimden ayıran nedir? Gözleri buluştuğunda, düşüncelerini yerle bir eden bir fikir sarar onu: bu bebek, her açıdan kendi bebeğiyle aynı olabilir; bu sadece bir zaman ve mekan hatasıdır, *ben*'i *diğeri*'nden ayıran. (Dünyada *var olmak* ve *diğerleri* ile ilgili şiirsel ve güçlü ifadeler için Martin Buber'in *Ben ve Sen*'ine bakın.)

Bilim adamı, bu dünyada *Dasein*'in *orada olma*nın, bizi mantıklı bir şekilde açıklamadığını söyleyecektir. Bu öz, tarihimiz, sadece gözlerimizin rengi, saçımızın uzunluğu, kaç bacağımızın olacağı gibi fiziksel özelliklerimizi değil; aynı zamanda, içgüdüler, alışkanlıklar ve arzular gibi ilk bakışta görülmeyen özelliklerimizi de belirler. Radikal Skinnercı davranışçılar, *ben'*i anlamanın, gözlenebilir davranışlarımızı, en nihayetinde mantıklı hayatta kalma ihtiyacımıza bağlanan bir nedensellikle açıklamakla mümkün olacağını söyleyeceklerdir. "Yemek yeriz çünkü açızdır, uyuruz çünkü yorgunuzdur... yerdeki bir kağıt parçasını alırız çünkü etrafta çöp istemeyiz."

Varoluşçuluğun öncülerinden biri olan Dostoyevski, insanın, kendi çıkarlarını kollayan, sürekli ütopik bir dünya yaratıp orada yaşamak isteyen, rasyonel bir hayvan olarak tanımlanması fikrine karşı çıkmıştır. Dostoyevski, *Yeraltından Notlar'*da, anlaşılır ve faydacı olanın bir antitezi olmak isteyen bir anti-kahraman yaratmıştır. Bu karakter, dünyadaki kişisel, öznel ve bireysel deneyimini sabitler. İnsanlığını, *Dasein'*ini, özgür irade ve seçme özgürlüğünü, kişisel anarşizm yoluyla ifade etmektedir. "Bazen durduk yerde, cam bir tabağı yere düşürüyor ve ayaklarının dibinde paramparça oluşunu izliyordu. Olabildiğince fazla düzensizlik ve karmaşa yaratmaya çalışıyordu." Hayatta olmak sorun çıkarmaktır. Bu ifade, dönüştüğümüz dünya ile taban tabana zıttır.

Rahme düştüğü andan itibaren doğası tahmin edilebilecek olan bir kurbağanın aksine, insanların temel bir doğası yoktur, seçimlerimizle yarattığımız dışında. Sartre'ın varoluşumuzun, özümüzden önce geldiği iddiası, Batı dünyasının insanlığa bakışını alt üst etmiştir. Artık iç benlik, insan doğası ya da tanrının verdiği özellikler yoktur. Seçimlerimizden başka bir şey değilizdir. Her ne kadar Socrates bize "kendini tanı" dese de Sartre bize "kendini yarat" demektedir. İşte bu özgürlüktür, siyasi arenada şimdiye kadar hiç kimsenin aramadığı kadar büyük bir özgürlük. Sartre'ın *Bulantı* adlı romanında, ana kahraman, "şu anda yapacağım şey, kim olacağımı belirleyecek" şeklindeki ifadenin sonuçlarını tam olarak kavradığı zaman kaygı, keder ve bulantı hissetmeye başlar.

Peki ne yaparız bu özgürlükle? Ondan kaçınırız. Tekdüzelikten kurtulmak için yeni yemekler deneriz. Sıkıntıdan kurtulmak için yeni yerlere yolculuk ederiz. Macera adına çubuklarla yemek yeriz. Kaygı ve umutsuzluktan kurtulma çabası içinde, bizi oyalayacak şeyler ararız. Kierkegaard bu çılgınca yenilik peşinde koşmaya "ekinlerin rotasyonu" adını verir. "Camdan onların dünyasına baktığım zaman, sahip olduklarından çok daha fazlasını istediklerini görüyorum. Buraya kedi ve köpek, domuz ve fare, kertenkele ve kurbağa avlamaya geliyorlar. Bilemiyorum fakat, bazen düşünüyorum da belki de onların bakacak bir şeyden çok, onlara bakacak birine ya da bir şeye ihtiyaçları var."

Bakmak, bizi eğlence için oraya buraya vuran bir *tıktıkçı* olmaktan kurtarır. Gerçekten ilgilenmek ise uzakta, yeni bir sıra dağa doğru gitmeyi gerektirir. Kierkegaardcı bir inanç sıçramasına, asil bir ruha dönüşmeye, yaşayan bir yüreğe ve yüce bir ruha ihtiyacımız vardır. Dünyayla o kadar çok ilgilenmemiz gerekir ki bir fikir için (hem de emin olduğumuz rasyonel bir fikir değil), şüpheler içeren bir inanç için bile her şeyden vazgeçmeye istekli olalım. "Bu düşündüğümü yapmamın hiçbir mantığı ve nedeni yok; ama yine de yapacağım. Beni yere atıp üzerime basabilir. Eline alıp, ben ölene kadar sıkabilir."

Bu sıçrayışı gerçekleştirmenin pek çok yolu vardır. Herman Hesse'nin kitabı *Sidharta*'da, bunun yolu dindir. Sidharta ailesinin sevgisi ve rahatlığını bırakır, arkadaşlarını, öğretmenlerini terk eder ve soyut bir hedef olan aydınlanma arayışıyla, nehrin kenarındaki bir kulübede oturur. Nikos Kazancakis'in *Zorba*'sında, Zorba kendini dünyevi bir yaşama verir. Eğitimsiz ve duygusaldır, hem sevinç hem üzüntü için dans eder. Gençliğinde büyük bir seramikçi olmak istemiştir, fakat çarkın her dönüşünde, küçük parmağı kilin içine girmiş ve yeni işlenmiş eserini mahvetmiştir. Sakarlığına tahammül edemez, bu yüzden de bir baltayla parmağını keser.

İrkiliriz. Geri çekiliriz. Bu kişilerin akılları başlarında mıdır bilemeyiz. Uzaklara doğru bakar ve kitabı kapatırız. "Her zaman geri bakarız, öyle değil mi?" Kitabı alır, sayfayı çeviririz. Bu derece bir bağlılığa alışkın olmasak da "sudaki bir sünger" gibi çeker bizi kendine. Bir fikre kendini bu kadar adamış ve önüne hiçbir şeyin çıkmasına izin vermeyecek bir insana rastlamak ne kadar da ender olur; tüm olasılıklarımızın eşitlenmesine karşı işleyen, yaşamdaki tek yapının toplumun karaladıkları ve zırvaladıkları olmasına karşı çıkan; uzak bir diyara zıplamış bir *varlık*.

"Rengim değişmeyecek. Şeklim değişmeyecek. Yine iki bacağım ve iki tokmağım olacak. Saklanacak delikler ve gedikler bulmak için yine oradan oraya zıplayacağım. Yine cırcır böceği kaç, kurbağa zıpla oyunu oynayacağım. Fakat iyice yakından, belli etmeden bakarsanız, eski derimi değiştirdiğimi göreceksiniz."

*SEL YAYINCILIK

Roman
Yüz Doksan Dokuz Basamak / Michel Faber
Gölge Çocuk / P. F. Thomése
Can / Andrei Platonov
Vah / Ahmet Mithat Efendi
Elmanın Suçu / Cem Selcen
Acı / Marguerite Duras
Yann Andrea Stainer / Marguerite Duras
Satranç Ustası Don S.'nun Romanı / M. de Unamuno
Dört Asker / Hubert Mingarelli
Bulutlar / Joan José Saer
İsveç Kibritleri / Robert Sabatier
Berlin-Aleksander Meydanı / Alfred Döblin
Pura Vida (William Walker'ın Yaşamı) / Patrick Deville
Arthur'un Ölümü / Sir Thomas Malory
Ecinni Labirenti / Hesenê Metê
Altın Yaldızlı Adam / Feyza Zaim
Goldberg Paşa / Erje Ayden
Sweetmilk Üçlemesi / Erje Ayden
Gatien'in Tutkusu / Jeanne Cordelier
Mark Twain Hatırlıyor / Thomas Hauser
Maximum / Caroline Bongrand
Sarı Zarf / Münir Göle

Öykü
Kadın Öykülerinde İstanbul / hazırlayan: Hande Öğüt
Aşk Meleği / Zeynep Avcı
Suskun Güneş / Zeynep Avcı
Buğulu Camların Ardı / Hüseyin Yurttaş
Bambaşka Hayatlar / Cem Uçan
Boşluğun İzinde / Cem Uçan
Ayan Beyan / Sadık Yalsızuçanlar
Bir Dakikalık Öyküler / István Örkény
Duvargeçen / Marcel Aymé
Aşkla Dayanmak / Jale Sancak
Bir Aşk Daha / Muzaffer Buyrukçu
Telefon Konuşmaları / Muzaffer Buyrukçu
Hayat Siyah Ölüm Beyaz / Turgay Kantürk
Modus Operandi / Faruk Ulay
Feklavye (çizgilerle) / Semih Poroy